Le texte argumentatif en philosophie

THÉORIE ET PRATIQUE

Louis Brunet

Le texte argumentatif en philosophie

THÉORIE ET PRATIQUE

Tout spécialement conçu pour le cours
Philosophie et rationalité

**Presses de
l'Université Laval**

Les Presses de l'Université Laval reçoivent chaque année du Conseil des Arts du Canada et de la Société de développement des entreprises culturelles du Québec une aide financière pour l'ensemble de leur programme de publication.

Nous reconnaissons l'aide financière du gouvernement du Canada par l'entremise du Fonds du livre du Canada pour nos activités d'édition.

Mise en pages : In Situ inc.

Maquette de couverture : Mariette Montambault

Illustration : Vivian Labrie

Dépôt légal 4ᵉ trimestre 2011

ISBN : 978-2-7637-9650-5

PDF : 9782763796512

Les Presses de l'Université Laval

www.pulaval.com

Table des matières

Introduction

Rédiger un bon texte argumentatif en philosophie ne s'improvise pas. Cela exige de la méthode et de la rigueur. *Le texte argumentatif en philosophie* réunit théorie et pratique afin d'affronter les difficultés inhérentes à la rédaction philosophique. Qu'il s'agisse de présenter son sujet, de le développer ou de conclure, l'apprenti rédacteur trouvera dans ce qui va suivre des indications utiles.

En plus de contenir des considérations sur le texte argumentatif et ses parties, le présent ouvrage initie à la logique de façon originale. Il aborde les notions logiques dans un contexte où elles prennent tout leur sens, car elles sont mises en rapport directement avec les exigences de production d'un bon texte argumentatif. Par exemple, les notions sur la définition servent l'objectif de formulation claire d'une thèse ; celles sur les oppositions entre propositions sont mises au service d'une formulation adéquate du problème et d'une production pertinente d'objection.

Une autre originalité de cet ouvrage, c'est d'outiller de façon exhaustive en vue de la révision de son texte, avant sa remise. Parvenu au dernier chapitre de ce livre, l'étudiant de philosophie comprendra clairement ce qu'il faut entendre par « utilisation appropriée de stratégies de révision » en rapport avec son texte argumentatif. Il aura même l'occasion de s'exercer à utiliser ces stratégies sur de vraies dissertations et pourra ainsi s'habituer à remarquer ce qui est à revoir après la rédaction d'une dissertation.

Chaque capsule théorique est suivie d'une ou de plusieurs questions et de quelques vrai ou faux, de façon à favoriser une meilleure rétention des notions expliquées.

Plusieurs tableaux facilitent la compréhension de la théorie. Des exercices[1] nombreux et variés, souvent inspirés de sujets traités dans l'un ou l'autre des cours de philosophie du collégial, accompagnent la plupart de ces capsules théoriques et contribuent grandement à l'acquisition de savoir-faire intellectuels durables.

S'il est vrai, comme le soulignait l'historien français Ernest Renan (1823-1892), que « les choses apprises disparaissent en grande partie », mais que « la marche que l'esprit a fait par elles reste », alors il importe grandement d'exercer l'esprit à « marcher », à bien cheminer vers la résolution d'un problème et la présentation efficace de cette solution dans un texte structuré. Bonne marche, donc, cher lecteur ou lectrice, sur les sentiers de la pensée et de l'écriture !

Pourquoi rédiger un texte argumentatif en philosophie ?

Une des compétences à acquérir dans le premier cours de philosophie consiste à produire une argumentation sur une question philosophique. Pour comprendre le bien-fondé de cette obligation de rédiger un texte argumentatif, il faut d'abord se poser la question : qu'est-ce qu'un texte argumentatif en philosophie ? C'est la forme la plus personnelle de travail demandé à un étudiant dans un cours de philosophie : il s'agit pour l'étudiant de mettre au service de sa réflexion une partie des connaissances acquises dans son cours. Cela implique de sélectionner ce qui peut être pertinent et de disposer ces éléments en lien avec le problème qu'il s'agit de résoudre.

La particularité du texte argumentatif philosophique réside dans son organisation interne : un tel texte part d'un questionnement. Rédiger un texte argumentatif, c'est suivre un certain plan en vue de répondre à une question posée. Un tel texte apparaîtra comme le fruit d'une activité de la

---

1. Le corrigé de ces exercices n'est pas inclus dans la présente édition. Les enseignants désireux de se le procurer doivent adresser leur demande à l'auteur : lbrunet@ cegep-ste-foy.qc.ca.

pensée qui, à travers une argumentation ordonnée, aboutit à une conclusion.

On pourrait comparer cela à une enquête policière[2]. La problématique, c'est comme l'énigme à résoudre. L'introduction présente l'énigme. Le développement peut être comparé au déroulement de l'enquête. La conclusion de l'argumentation est comparable à la solution trouvée. Une telle comparaison est de nature à faire comprendre qu'il faut, dans son texte argumentatif, organiser un raisonnement avec autant de soin qu'un enquêteur qui, en établissant une culpabilité, ne veut pas commettre d'erreurs judiciaires.

Rédiger un texte argumentatif en philosophie, c'est, au fond, procéder à une sorte d'enquête sur la vérité, du moins sur la façon la plus vraisemblable de résoudre un problème intellectuel. Cette activité, si elle est faite sérieusement, apporte un bienfait considérable : la pratique d'une écriture où l'on respecte les règles de l'argumentation contribue grandement à ouvrir l'esprit à un savoir plus réfléchi.

Cet exercice d'écriture est très formateur pour l'esprit. Rien de tel que de mettre la main à la pâte, de s'engager soi-même dans un exercice de réflexion, de faire de la philosophie en produisant soi-même une argumentation. On apprend ainsi à se remettre en question, à comparer des idées pour élaborer sa pensée, à se positionner, à utiliser les connaissances philosophiques dans le déploiement d'une réflexion autonome, à poursuivre une discussion de façon rationnelle, à chercher et à trouver des arguments, à regarder l'autre côté de la médaille, bref à expérimenter ce que comporte la recherche de la vérité sur un sujet précis, dans le respect des règles de base de la logique. En faisant cela, on n'aura pas seulement appris ou approfondi des choses sur un nouveau sujet, on aura aussi appris à mieux penser !

---

2. Voir Hélène Cazals, *La dissertation philosophique*, Albin Michel éducation, 1997, p. 9.

QUESTIONS

1. Le texte argumentatif est-il vraiment le travail le plus personnel demandé dans le cours de philosophie? Pourquoi?

2. Quelle est la base de l'organisation interne d'un texte argumentatif?

3. Quelles habiletés la rédaction d'un texte argumentatif sollicite-t-elle?

LES CONNAISSANCES PRÉALABLES À LA RÉDACTION D'UN TEXTE ARGUMENTATIF EN PHILOSOPHIE

Un bon texte argumentatif comporte une introduction, un développement et une conclusion. Normalement, les consignes fournies par le professeur ou sa grille de correction renferment déjà des renseignements sur la structure attendue.

On ne saurait trop souligner, également, l'importance de comprendre les critères qui seront utilisés par le professeur lors de la correction de ce travail de rédaction. Ces critères correspondent à un certain nombre d'exigences de la rationalité. Celui qui lit le texte doit pouvoir reconnaître que la question philosophique a été traitée convenablement, c'est-à-dire d'une façon rationnelle, d'une manière qui correspond à un bon usage de la raison. Une indication au moins sommaire de ces critères se retrouve aussi, normalement, dans la grille ou les consignes fournies par le professeur.

En outre, il est nécessaire de comprendre un certain nombre de notions logiques – notamment la notion d'argumentation, d'argument ou de raisonnement, ainsi que d'objection et de réfutation – qui devront être mises en application dans un texte *argumentatif* digne de ce nom.

Une autre connaissance préalable concerne *la philosophie* – car comment s'assurer ou reconnaître que notre argumentation porte sur une question philosophique si l'on n'a aucune idée de ce qu'est la philosophie? Plus important encore, il faut s'assurer, soit en puisant dans ce qui a été enseigné dans le cours de philosophie, soit en faisant les lectures appropriées, d'avoir suffisamment de *connaissances sur le sujet* de notre rédaction pour être en mesure d'en parler intelligemment.

Nous traiterons, dans ce qui va suivre, des trois premières sortes de connaissances préalables. Pour la quatrième, à chacun de se référer aux notions concernant la philosophie et aux lectures abordées dans le reste de son cours.

Tableau des connaissances préalables à la rédaction

Éléments	Aspects concernés	Connaissances préalables requises
«Un texte…»	- à rédiger…	
	…selon une certaine structure;	Connaître la structure du texte.
	…avec un certain contenu.	Avoir des connaissances sur le sujet.
	- qui sera évalué.	Connaître les critères de correction.
«Un texte argumentatif…»	- à rédiger dans une forme argumentative.	Connaître des notions logiques (notamment l'argumentation).
«Un texte …en philosophie.»	- à rédiger sous un mode et avec un contenu philosophiques.	Connaître ce qu'est la philosophie. Savoir distinguer ce qui est philosophique et ce qui ne l'est pas.

QUESTIONS

1. Que faut-il savoir avant de se mettre à la rédaction d'un texte argumentatif en philosophie ?

2. Selon vous, à quel aspect du texte argumentatif votre professeur va-t-il accorder le plus de points dans sa grille de correction ? À la forme argumentative ? À l'originalité du propos personnel ? À la beauté du style ? Ou à la pertinence des auteurs cités ?

Comment rédiger une bonne introduction de texte argumentatif

Commençons par le premier point : la structure. Les dissertations, en français ou en philosophie, ont une structure de base à peu près semblable. Elles se composent de trois sections : l'introduction, le développement et la conclusion. Chaque section a des fonctions bien précises, qui ont été établies pour faciliter la transmission d'idées. Bien sûr, le développement constitue la partie la plus importante et l'aspect argumentatif y est prioritaire (plus encore que l'originalité du propos, la beauté du style ou la pertinence des auteurs cités !). Il convient cependant que nous parlions d'abord de l'introduction.

Rédiger une introduction, c'est procéder un peu comme dans une conversation importante avec quelqu'un : on prend les choses d'un peu plus loin, on fait un préambule, pour préparer son interlocuteur à bien entendre ce qu'on veut lui dire.

L'AMORCE

Une première étape pour y arriver, c'est l'amorce. Il s'agit d'amener le sujet. Pour ce faire, il est possible de commencer par un exemple tiré de l'actualité. Par exemple, pour aborder la question « La justice implique-t-elle d'être toujours accommodant ? », on pourra évoquer le cas des sikhs refusant, au nom de la Charte canadienne des droits et libertés, de laisser leur kirpan[1] à la consigne comme le Service de sécurité de l'Assemblée nationale du Québec le leur demandait. On peut aussi situer notre propos en présentant rapidement son intérêt. Par exemple, pour présenter une question sur le suicide, on pourra dire, comme Camus : «Il n'y a qu'un problème philosophique vraiment sérieux : c'est le suicide. Juger que la vie vaut ou ne vaut pas la peine d'être vécue, c'est répondre à la question fondamentale de la philosophie[2]. »

Certains commencent aussi leur texte en définissant les termes du problème d'une façon qui amène à se questionner sur le lien entre ceux-ci. Par exemple, pour aborder la question de savoir si la démarche scientifique exclut tout recours à l'imagination, on définira la démarche scientifique...

> La démarche scientifique peut se définir comme un processus visant à constituer un ensemble de connaissances, d'études de valeur universelle caractérisées par un objet et une méthode déterminés, et fondées sur des relations objectives et vérifiables[3].

puis l'imagination...

> L'imagination est la faculté que possède l'esprit de se représenter des images d'objets non perçus ou déjà perçus[4].

pour préparer le lecteur à comprendre ce que leur rapprochement peut avoir de problématique :

> Le statut de l'imagination est contradictoire. L'imagination peut être comprise comme source d'erreurs dans la mesure où les images nous détournent du réel et faussent notre jugement. Mais, à l'inverse, elle peut être comprise comme auxi-

---

1. Il s'agit d'un couteau recourbé que les sikhs portent à la ceinture et qui a pour eux valeur de symbole religieux.
2. Albert Camus, *Le mythe de Sisyphe.*
3. Hélène Cazals, *La dissertation philosophique,* Albin Michel éducation, 1997, p. 70.
4. *Ibid.,* p. 71.

liaire ou faculté de connaissance dans la mesure où elle peut être facteur de création[5].

Il faut cependant s'assurer de ne pas faire, en lien avec les définitions présentées, de commentaires qui feraient en sorte que la question ne se poserait plus. Comme cette étudiante qui, malencontreusement, souligna que la définition de la philosophie était tout le contraire de celle de la science, avant de se demander si la philosophie était une science :

> La philosophie peut se définir comme étant une manière de voir, de comprendre et d'interpréter le monde et les choses de la vie. Elle peut aussi guider le comportement. Par conséquent, la définition de la philosophie est tout à fait le contraire de celle de la science, qui est de mettre en œuvre des connaissances relatives à certaines catégories de faits, d'objets ou de phénomènes obéissant à des lois. Dans cette optique, nous pouvons croire que la philosophie implique une application intellectuelle tandis que la science est mise en application par l'expérience. Or, est-ce que la philosophie est une science[6] ?

Parfois, tout en précisant la définition d'un terme, on souligne les appréciations opposées que les gens peuvent faire de la réalité signifiée par lui, pour manifester en quoi ces diverses positions sont à l'origine du problème. Par exemple, pour entreprendre une réflexion sur la question « Le travail est-il une contrainte, ou une libération ? », on dira : « Le travail, activité consciente et volontaire de l'homme ayant pour but de produire, est pour les uns source de bonheur et de réalisation de soi, pour les autres il est une souffrance, une contrainte, voire une tyrannie[7]. »

On peut aussi présenter d'abord différents contextes dans lesquels la question se pose (par exemple, en rapport avec la question de savoir si l'obéissance empêche la liberté, on peut

---

5. *Ibid.*, p. 71.
6. Extrait d'un texte argumentatif présenté à Louis Brunet pour le cours Philosophie et rationalité, au cégep de Sainte-Foy, à la session d'hiver 2011.
7. Hélène Cazals, *La dissertation philosophique*, Albin Michel éducation, 1997, p. 77.

partir du fait qu'on doit obéir à ses parents, à ses professeurs et à son patron). On peut évoquer ensuite une réponse possible (par exemple, en mentionnant qu'on a l'impression de perdre sa liberté quand on leur obéit), suivie d'une brève justification (par exemple, en faisant valoir qu'on ne fait pas ce qu'on veut, mais ce que veut l'autre à qui l'on obéit). On peut par la suite suggérer que ce n'est qu'une apparence, en soulignant un nouvel aspect (par exemple, le côté bénéfique de l'obéissance aux lois ou à son médecin) laissant entrevoir que la réponse opposée serait peut-être plus réaliste. Cela pourrait donner quelque chose comme ceci :

> Quand on obéit à un parent, à un professeur ou à un patron [présentation des contextes possibles],
>
> on a bien l'impression de perdre sa liberté [réponse suggérée par ces contextes],
>
> puisqu'on ne fait pas ce qu'on veut, mais ce que veut l'autre [justification de cette réponse].
>
> Pourtant, jusqu'à quel point l'antagonisme entre l'obéissance et la liberté est-il réel ? [suggestion que ce ne serait qu'une apparence]
>
> La loi, qui m'empêche d'agir selon mon bon plaisir, ne protège-t-elle pas certaines de mes libertés ? De même, si je suis les conseils du médecin, ce n'est pas par pure soumission, mais bien parce que ce que veut le médecin, à savoir ma guérison, est aussi ce que je veux [justification de la mise en doute par des exemples de nature à ébranler cette première impression].
>
> [À partir de là, ne pourrait-on pas soutenir que toujours, quand on obéit, on reste libre ?][8].

Quelle que soit la stratégie adoptée, il faudra toujours, pour bien amener son sujet, éviter les clichés et les généra-

---

8.   Cet exemple s'inspire du site Devoir de philosophie : www.devoir-de-philosophie. com/corriges-philosophie-0.html. Nous avons mis en crochet la dernière phrase parce qu'elle appartient plutôt à l'étape qui suit. Les autres crochets, indiquant le procédé adopté, sont de nous.

lisations ennuyeuses, du genre : « depuis la nuit des temps… », ou « les hommes ont toujours… » ou « c'est là un sujet passionnant » (sans rien dire sur le sujet qui ferait comprendre en quoi il est passionnant). Sont également à éviter les détails qui n'intéressent personne concernant le contexte dans lequel on écrit son texte, du genre : « pour mon cours de philosophie, je dois… » Attention aussi de ne pas partir de trop loin, comme cet étudiant qui, pour présenter la question de savoir si les discours écrits sont ceux qui contribuent le mieux à la formation d'esprits philosophiques, parla de l'utilisation aujourd'hui très répandue des moyens de communication informatisés comme Facebook et Twitter et des messages textes par téléphone cellulaire. Il s'agit certes d'un fait d'actualité où il y a utilisation de l'écrit, mais cela n'a pas grand rapport avec la philosophie et son enseignement !

LA FORMULATION DE LA QUESTION

La deuxième étape, toujours pour préparer le lecteur, consiste à poser le sujet. Il s'agit alors de formuler la question à laquelle le texte argumentatif entend répondre. Dans la mesure où l'amorce a été bien faite, la question surgira tout naturellement. Il ne faut surtout pas qu'elle soit plaquée dans le texte d'introduction, sans lien avec l'amorce. La pire chose à faire serait de présenter la question après y avoir répondu, comme le fit une étudiante qui, après l'amorce, choisit de révéler sa thèse puis de présenter la question :

> Une seule chose a permis à l'homme de trouver le bonheur, l'activité philosophique. Peut-elle contribuer au bonheur individuel et collectif des gens ? Je crois que oui, […].

Pour aider le lecteur à mieux cerner la pertinence de la question et ses enjeux, on pourra tenter de la reformuler, ou de formuler une autre question qui l'englobe, et d'ajouter des éclaircissements ou des précisions. Il ne faudrait pas se contenter de formuler la question, sans rien expliquer de ce qui se joue sur le plan rationnel.

Quand on amène et qu'on pose le sujet, un bon travail de problématisation (ou de questionnement philosophique) s'impose. C'est l'étape essentielle. Il s'agit de bien indiquer au lecteur que la question soulève un réel problème intellectuel ou suscite une controverse ; c'est ce qui rend nécessaire la recherche d'une solution. C'est le moment de montrer qu'on a compris l'importance de la question, la pertinence de se la poser, les répercussions qu'elle peut avoir, bref qu'on a saisi le débat sous-jacent. En procédant ainsi, on sera en mesure d'intéresser le lecteur, on suscitera en lui le désir de lire, en l'étonnant, en brisant l'ignorance.

Mais comment susciter l'étonnement sans d'abord soi-même se laisser étonner par la question ? S'étonner, c'est prendre conscience qu'il y a quelque chose qu'on ne comprend pas et qui a besoin d'être expliqué. Un fait insolite, ou une apparente contradiction, ou de brefs arguments pour et contre sont de nature à provoquer l'étonnement, car cela indique une ignorance et donne envie d'y échapper, stimulant du même coup le désir d'en connaître davantage sur la question.

On ne saurait trop déconseiller, dans ce contexte, de dire ou de laisser entendre que la réponse à la question est facile et évidente. C'est une très mauvaise idée de faire comme cette étudiante qui, après avoir reproduit la question (« La réflexion philosophique permet-elle d'établir objectivement ce qui devrait avoir le plus d'importance pour un être humain ? »), enchaîna : « Je crois que poser la question, c'est y répondre. » Qui pourrait avoir envie de lire un texte qui introduit une question banale et sans intérêt, ou qui ne fait que ressasser des évidences ou soulever des points qui ne causent aucun problème à personne ?

Par ailleurs, il ne faut pas non plus tomber dans l'autre extrême et dire que la question est insoluble. Personne, en effet, ne sera intéressé à examiner un problème qui n'offre aucun espoir de solution. Dans le même ordre d'idées, il ne convient pas d'exprimer, en rapport avec le sujet traité, un scepticisme ou un relativisme qui a pour effet de tuer le problème. Par exemple, si, en discutant du problème de l'importance de la beauté, on affirme d'entrée de jeu qu'absolument tout est relatif en cette matière ou que la vérité sur le beau dépend de chacun, le lecteur se demandera à quoi rime la recherche d'une vérité universelle la concernant.

Il ne faut jamais l'oublier, ce qui justifie l'écriture d'un texte argumentatif, c'est qu'au départ il y a un problème intellectuel à résoudre. Une des fonctions principales de l'introduction est justement de présenter ce problème.

Pour mieux comprendre ce qu'il faut entendre exactement par problème, il est bon de savoir que notre esprit en quête de vérité cherche toujours à connecter les notions (par lesquelles il se représente les choses) d'une façon conforme à ce qu'indique la réalité: notre esprit cherche toujours à relier positivement ce qui va ensemble ou à séparer ce qui ne va pas ensemble. Par exemple, quand la réalité indique que les baleines femelles ont la capacité d'allaiter leurs petits, l'esprit jugera que «mammifère» appartient aux baleines et qu'il faut dire «les baleines *sont* des mammifères». Et comme la réalité indique que les baleines et les poissons sont des êtres différents, l'esprit jugera que la notion de «poisson» ne s'applique pas aux baleines, et il dira: «les baleines *ne sont pas* des poissons». Quand notre esprit sait – ou pense savoir – comment les notions doivent être connectées pour correspondre à la réalité, il connaît déjà – ou pense connaître déjà – la vérité. Ces façons de connecter les notions donnent lieu à divers types de phrases énonciatives ou déclaratives, qu'on appelle aussi des énonciations. Elles seront affirmatives ou négatives, selon qu'on rapproche une notion d'une autre ou qu'on les sépare; elles seront vraies ou fausses, selon que ce rapprochement ou cette séparation correspond ou non à la réalité.

Tableau des sortes d'énonciations

Énonciation…	Façon dont on se rapporte à un sujet	Rapport à la réalité	Exemple
Affirmative vraie	Quelque chose est affirmé du sujet	Ce qu'on affirme est conforme à la réalité, car on relie des choses qui vont ensemble.	« L'être humain est doué de la raison. »
Affirmative fausse	Quelque chose est affirmé du sujet.	Ce qu'on affirme n'est pas conforme à la réalité, car on relie des choses qui ne vont pas ensemble.	« Le corps humain est couvert de plumes. »
Négative vraie	Quelque chose est nié du sujet.	Ce qu'on nie est nié conformément à la réalité, car on sépare l'une de l'autre des choses qui, effective-ment, ne vont pas ensemble.	« Le corps humain n'est pas couvert de plumes. »
Négative fausse	Quelque chose est nié du sujet.	Ce qu'on nie ne correspond pas à la réalité, car on sépare des choses qui vont ensemble.	« L'être humain n'est pas doué de la raison. »

Mais on n'est pas toujours en mesure de se prononcer. Bien souvent, on ne sait pas si c'est l'affirmative ou la néga-tive qui est vraie. Par exemple, comment connecter, dans notre esprit, la notion de « mensonge » et celle de « toujours mal » ? Faut-il affirmer que « le mensonge est toujours un mal », ou le nier et dire que le mensonge n'est pas toujours un mal ? C'est justement quand l'esprit hésite ainsi entre l'affirmative et la négative qu'il est en situation de problème.

Tableau des états de connaissance et des phrases qui les expriment

	Pencher vers la négative	Hésiter entre les deux	Pencher vers l'affirmative
État de connaissance	Savoir (ou penser savoir) que quelque chose n'appartient pas au sujet.	Ne pas savoir si quelque chose appartient au sujet ou s'il ne lui appartient pas, mais se le demander.	Savoir (ou penser savoir) que quelque chose appartient au sujet.
Phrase qui exprime cet état	Phrase énonciative négative (négation)	Phrase interrogative (question)	Phrase énonciative affirmative (affirmation)
Exemple	« L'être humain n'est pas naturellement fait pour vivre en société. »	« L'être humain est-il naturellement fait pour vivre en société ? »	« L'être humain est naturellement fait pour vivre en société. »

Dans un texte argumentatif où il s'agit de traiter d'une question philosophique, il va de soi que le problème doit être philosophique. Cela implique que le sujet soit universel – par opposition à singulier : en philosophie, on réfléchit sur les êtres et les choses en général et on ne s'intéresse aux cas particuliers que dans la mesure où ils permettent d'illustrer des notions générales. De plus, un problème philosophique se rattachera nécessairement à l'une ou l'autre des branches de la philosophie : il pourra s'agir d'un problème quant à ce qu'il faut choisir ou éviter (problème d'éthique ou de philosophie politique), d'un problème de pure connaissance (problème théorique, comme en métaphysique ou en philosophie naturelle) ou d'un problème concernant la manière même dont on connaît (problème logique ou épistémologique). Par exemple, « Convient-il d'avoir recours à l'euthanasie ? » est un problème quant à ce qu'il faut ou non choisir, « Tout ordre présuppose-t-il un ordonnateur ? » est un problème de pure connaissance, et « Peut-on remonter à l'infini dans les démonstrations, ou aboutit-on à des principes premiers et indémontrables ? » est un problème concernant la manière dont on connaît.

Tableau des problèmes philosophiques

Type de problème	Problème éthique	Problème théorique	Problème logique
Objet de recherche	Ce qui est à choisir ou à éviter	Ce qui est vrai	Ce qui est vrai en rapport à nos démarches de connaissance
Exemple	« Faut-il toujours éviter de mentir ? »	« Le temps existe-t-il indépendamment de nous ? »	« Peut-on tout prouver ? »

De plus, puisque la question ou le problème se formule en utilisant des mots qui, souvent, peuvent avoir plusieurs significations, un travail de clarification peut s'avérer nécessaire. Parfois, ce travail doit débuter dès l'introduction, parfois aussi il s'effectue dans le développement, parfois encore dans les deux à la fois, par étapes successives.

Quelle que soit la stratégie adoptée à cet égard, le rédacteur d'un texte argumentatif doit toujours se soucier d'éviter la confusion. Une des meilleures manières d'y arriver, c'est de définir les termes du problème. Ce travail de définition, on l'effectuera le plus souvent à l'aide d'un dictionnaire courant ou d'un dictionnaire philosophique, en ciblant bien, parmi les divers sens possibles d'un mot, le sens qui s'avère pertinent dans le contexte.

Pour ce qui est de la question de savoir s'il convient ou non de révéler sa position dans l'introduction, qu'on se réfère aux consignes du professeur : certains l'interdisent, d'autres l'exigent, d'autres encore laissent entière liberté sur ce point.

Ceux qui, par «poser le sujet», comprennent «donner sa position sur le problème» doivent cependant éviter de donner l'impression que leur réponse est une évidence, ce qui risquerait d'empêcher le lecteur de comprendre qu'un problème intéressant sera résolu.

L'ANNONCE DU PLAN

Une troisième étape, qui contribue à bien préparer son lecteur à suivre le développement, c'est l'annonce du plan. C'est ce qu'on appelle diviser le sujet. Il s'agit alors d'annoncer la façon dont on va traiter la question, d'exposer la méthode que l'on va suivre dans notre enquête rationnelle. En annonçant les grandes parties de son texte, il est préférable d'éviter l'emploi, à répétition, du mot «partie». Plutôt que de dire: «Dans la première partie de mon texte, je vais…; dans la deuxième partie, je vais…», on usera de tournures plus élégantes, du genre: «Dans un premier temps, nous verrons que…, avant de montrer que…», ou encore: «Après avoir montré que…, nous analyserons…» On peut même annoncer d'abord ce qu'on fera en dernier, pour parler ensuite de ce qu'il faudra faire pour y arriver: «Pour étayer notre thèse, nous examinerons tout d'abord…» Un dernier conseil: dans une dissertation qui ne dépasse guère 800 mots, il faut se contenter d'annoncer les grandes parties, et non les sous-parties. Trop en dire, aller même jusqu'à révéler à l'avance ses principaux arguments, ne ferait que rendre le développement ultérieur prévisible et ennuyeux. Il ne faut pas gaspiller ses munitions!

Pour savoir si l'on doit ou non intégrer cette troisième étape à son introduction, il faut se rapporter aux consignes de son professeur: certains l'exigent, d'autres n'en font aucunement mention, parce qu'ils considèrent qu'elle est nécessaire seulement lorsqu'il s'agit de préparer le lecteur à la lecture de longs textes.

Finalement, pour rédiger une bonne introduction, il est généralement conseillé de bien relier les étapes par des mots de transition («cependant», «or», «malgré tout», «dans cette optique»...) : il faut que l'ensemble de l'introduction soit fluide et se lise aisément.

Tableau des parties de l'introduction

Partie de l'introduction	Aussi appelée...	Fonctions
L'amorce	Sujet amené	Introduire le lecteur au sujet en l'amenant vers la question.
		Stimuler l'intérêt du lecteur, notamment en l'amenant à s'étonner.
		Mettre en place les éléments qui vont préparer le lecteur à comprendre qu'un problème se pose.
La formulation de la question	Sujet posé	Indiquer au lecteur la question traitée.
		Faire comprendre les enjeux.
		Faire comprendre l'importance et la pertinence de la question.
L'annonce du plan	Sujet divisé	Indiquer au lecteur les principales étapes dans le traitement du sujet.

Tableau de stratégies possibles et de défauts à éviter dans l'amorce

Stratégies possibles	Défauts à éviter
Partir d'un exemple d'actualité.	Utiliser des clichés, des généralisations ennuyeuses.
Partir d'une considération générale qui permet de situer le sujet dans son importance.	Partir de trop loin, de considérations trop éloignées du sujet.
Définir les termes du problème pour amener le questionnement sur leur lien.	Donner des détails inintéressants concernant le contexte de sa rédaction.
Préciser la définition d'un terme tout en rapportant des appréciations opposées.	Définir un ou des termes d'une façon qui ne prépare en rien à comprendre qu'un problème intellectuel va se poser.
Évoquer des contextes possibles qui suggèrent une réponse, puis rapporter d'autres contextes qui suggèrent une réponse opposée.	Commenter une définition de telle façon que la question ne se pose plus.

Tableau de stratégies possibles et de défauts à éviter dans la formulation de la question

Stratégies possibles	Défauts à éviter
Reproduire telle quelle la question imposée, quand elle surgit naturellement de l'amorce, puis la reformuler.	Poser la question sans l'enchaîner avec le début de l'introduction.
Faire précéder la question d'une autre question qui l'englobe.	Dire que la réponse à cette question est évidente, ou que la question est insoluble.
Formuler la question, puis ajouter des précisions ou des éclaircissements.	Révéler dès l'introduction l'essentiel de sa position et de ce qui la fonde.
	Poser la question sans manifester les enjeux, sans faire comprendre en quoi elle serait importante et pertinente.

Tableau de stratégies possibles et de défauts à éviter dans l'annonce du plan

Stratégies possibles	Défauts à éviter
Annoncer les grandes parties de son texte.	Utiliser des formulations inélégantes en abusant du mot « partie ».
Expliquer brièvement la méthode : selon quelles étapes on va développer son sujet.	Annoncer de façon détaillée tout ce qu'on va faire dans son développement.
	Révéler à l'avance ses arguments.

QUESTIONS

1. Quelles sont les trois parties d'une introduction ?
2. Selon vous, quelle est la chose la plus importante à faire dans une introduction ? Pourquoi est-ce si important ?
3. Pour bien expliquer le problème, que faut-il faire comprendre au lecteur ?

Vrai ou faux ?

1. Dans une introduction, il convient de donner des éléments contextuels du genre « dans mon cours de philosophie, il m'est demandé de traiter de… »
2. Pour aborder une question, le mieux est de débuter par une remarque générale sur le fait que l'être humain s'interroge ; à partir de là, on manifeste bien l'intérêt propre à l'interrogation particulière qui constitue notre sujet.
3. La partie la plus importante d'une introduction, c'est la présentation du problème qui sera traité.
4. L'introduction est la seule partie du texte argumentatif dans laquelle il est pertinent de faire un travail de clarification.

EXERCICE DE PROBLÉMATISATION

I- Rédigez une introduction, avec sujet amené et posé, comportant une problématisation de la question donnée. Utilisez ce qui vous est indiqué comme définitions, caractéristiques ou exemples pour amener et poser le sujet d'une façon qui mettra en évidence qu'il y a vraiment un problème intellectuel à résoudre.

Exemple :

Question à discuter : « Obéir, est-ce renoncer à sa liberté ? »

Exemples d'obéissance : obéir à un parent, obéir à un professeur, obéir à un patron.

Définition de la liberté : « pouvoir faire ce qu'on veut ».

Définition d'obéir : « faire ce que veut l'autre ».

Exemples d'obéissance davantage compatible avec la liberté, avec ce que je veux : obéir aux lois (car elles protègent mes libertés), obéir à son médecin (car il veut ma guérison).

Introduction à cette question :

« L'obéissance n'a guère la cote, dans notre société éprise de liberté. Quand on obéit à un parent, à un professeur ou à un patron, on a bien l'impression de perdre sa liberté, puisqu'on ne fait pas ce qu'on veut, mais ce que veut l'autre. Pourtant, jusqu'à quel point l'antagonisme entre l'obéissance et la liberté est-il réel ? La loi, qui m'empêche d'agir selon mon bon plaisir, ne protège-t-elle pas certaines de mes libertés ? De même, si je suis les conseils du médecin, ce n'est pas par pure soumission, mais bien parce que ce que veut le médecin, à savoir ma guérison, est aussi ce que je veux. À partir de là, ne pourrait-on pas soutenir que toujours, quand on obéit, on reste libre ? »

À votre tour maintenant!

1. Question à discuter : « Le travail est-il une contrainte ou une libération ? »

    Définition du travail : « activité consciente et volontaire de l'homme ayant pour but de produire des richesses ».

    Caractéristique du travail : « peut être vu comme une source de bonheur et de réalisation de soi ».

    Autre caractéristique du travail : « peut être vu comme une souffrance, une contrainte, voire une tyrannie ».

    Étymologie du mot travail : « renvoie à l'idée de torture et de souffrance ».

    Autre définition du travail : « activité libérant l'homme des servitudes de la nature ».

2. Question à discuter : « La démarche scientifique exclut-elle le recours à l'imagination ? »

    Définition de la démarche scientifique : « processus visant à constituer un ensemble de connaissances, d'études de valeur universelle caractérisées par une méthode et un objet déterminés, et fondées sur des relations objectives et vérifiables ».

    Définition de l'imagination : « faculté que possède l'esprit de se représenter des images d'objets non perçus ou déjà perçus ».

    Caractéristique de l'imagination : « peut être comprise comme source d'erreurs dans la mesure où les images nous détournent du réel et faussent notre jugement ».

    Autre caractéristique de l'imagination : « peut être comprise comme auxiliaire ou faculté de connaissance dans la mesure où elle peut être facteur de création ».

3. Question à discuter: «Les meilleurs sont-ils ceux qui font mal par exprès ou ceux qui le font involontairement?[9]»

Cas particuliers possibles de pratiques en rapport auxquelles on peut comparer la personne qui a fait exprès et celle qui n'a pas fait exprès: mal courir, frapper son voisin.

4. Question à discuter: «Peut-on se fier uniquement à l'écriture pour l'apprentissage des connaissances?»

Caractéristiques des écrits:

- ils se conservent de génération en génération, on peut facilement les consulter en tout temps;

- ils présentent, peut-être, des inconvénients par rapport au discours oral.

5. Question à discuter: «Le bonheur est-il le but de la politique?»

Définition du bonheur: «recherche individuelle de quiétude, de satisfaction durable».

Caractéristiques du bonheur: «avoir un contenu qui varie selon les individus», «relever du domaine privé».

Définition de la politique: «action de gouverner un État».

Caractéristiques de la politique: «reposer sur des principes valables pour tous», «être une recherche du bien général», «relever du domaine public».

---

9. Cette question est inspirée du dialogue de Platon intitulé *Hippias mineur*.

EXERCICE SUR LA NOTION DE PROBLÈME

I- Pour chaque couple de notions, formulez deux énonciations opposées. Dites ensuite si, à votre avis, une ignorance est vraiment possible quant à la façon de relier les
deux notions et s'il y aurait ici matière à un problème
philosophique. Précisez, s'il y a lieu, le type de problème
philosophique : s'agit-il d'un problème théorique,
éthique ou logique?

Exemple :

Le mensonge. Toujours mauvais.

Réponse :

1) Le mensonge est toujours mauvais.

2) Le mensonge n'est pas toujours mauvais.

Une ignorance est vraiment possible, il y a ici matière à
un problème éthique.

À votre tour maintenant!

1. Socrate. Un grand maladroit.

2. Bien vivre. Ce dont il faut faire le plus grand cas.

3. Une vie sans questionnement. Valoir la peine d'être
   vécue.

4. Le temps. Dépendre du mouvement.

5. La raison. Pouvoir rendre raison de tout.

6. Un genre (comme «animal» par rapport à «cheval»,
   ou «meuble» par rapport à «chaise»). Toujours se
   diviser par deux différences opposées (comme «doué
   de raison» et «dépourvu de raison»).

7. Un effet. Dépendre de sa cause.

II- Dans toute énonciation, quelque chose est affirmé ou nié à propos d'un sujet.

   1) Pour chacune des énonciations ci-dessous, repérez le sujet à propos duquel quelque chose est affirmé ou nié ;

   2) précisez s'il y a affirmation ou s'il y a négation ;

   3) dites si, à votre avis, cette énonciation exprime une évidence ou donne plutôt l'occasion de poser un problème. Dans ce cas, formulez-le et montrez qu'il s'agit d'un véritable problème en faisant ressortir qu'il y a du pour et du contre. Précisez aussi le type de problème philosophique : s'agit-il d'un problème théorique, éthique ou logique ?

Exemple :

« Il n'est pas indispensable de faire une place à la philosophie dans sa vie. »

Réponse :

Sujet : *faire une place à la philosophie dans sa vie.*

Il y a négation.

C'est l'occasion de poser un problème : « Est-il indispensable de faire une place à la philosophie dans sa vie ? »

C'est un problème, car, d'un côté, il y a des gens qui semblent vivre très bien sans faire de philosophie, mais, d'un autre côté, la philosophie amène à réfléchir sur des questions fondamentales pour tout être humain.

Il s'agit d'un problème éthique.

À votre tour maintenant !

   1. « Le développement de l'esprit critique n'est pas un danger pour les communautés humaines. »

   2. « Il est important de bien utiliser son temps. »

3. « Deux quantités égales à une même troisième sont égales entre elles. »

4. « Ce n'est pas vrai que tout est relatif. » – Attention : le sujet *logique* (ce dont on dit quelque chose) n'est pas, ici, le sujet grammatical « ce ».

5. « On s'imagine que les problèmes se règlent tout seul. C'est faux ! » – Attention : ce n'est pas « on » qui fait principalement l'objet d'une prise de position.

6. « Mieux vaut donner que recevoir. »

7. « Le développement de l'esprit critique n'a que des avantages pour les communautés humaines. »

8. « Il ne faut pas rechercher la vérité à tout prix. »

9. « On ne peut triompher de la mort. »

La notion de définition : la nécessité de bien définir pour formuler clairement une thèse

Un texte argumentatif vaut la peine d'être écrit et lu dans la mesure où, on l'a dit, il y a un problème à résoudre. Et, on s'en souvient, c'est le rôle principal de l'introduction de le présenter. Or, pour présenter ce problème, on est bien obligé d'utiliser des mots. Mais, en philosophie comme dans bien des domaines, les mots peuvent avoir plusieurs sens. Il peut donc s'avérer important, quand il y a risque de confusion, comme il arrive très souvent, de préciser en quel sens on entend tel mot ou telle expression qui entre dans la formulation du problème. Ainsi, on sera en mesure de formuler clairement sa thèse, c'est-à-dire la position qu'on prend en rapport au problème. Prendre une position claire, c'est bien sûr indiquer nettement de quel côté on se situe, mais c'est aussi ne pas rester dans l'imprécision quand une formulation se prête à plusieurs interprétations. Si le sens des mots qui entrent dans la formulation de la question n'est pas saisi avec précision, on risque, dans le développement qui suivra, d'utiliser des arguments non pertinents, parce qu'on aura pris un mot dans un sens qui ne convient pas au contexte de la question. Quand on fait un travail de réflexion, il faut toujours garder à l'esprit que, par-delà les mots, ce sont des notions, des idées qu'on associe.

DÉFINIR POUR CLARIFIER

Or, pour rejoindre les idées ou les notions derrière les mots, il faut passer par des définitions. Une définition est un discours (au sens de : une suite de mots) qui précise le sens d'un mot, en exprimant ce qu'est la chose signifiée par ce mot. Elle se compose de termes connus qui permettent de déterminer les caractères de ce qui est à définir. Si un même mot peut désigner plusieurs choses différentes (mais, le plus souvent, apparentées entre elles), il y aura autant de définitions qu'il y a de sens différents du mot. Ainsi, en raison de cette variété des significations, plusieurs choses différentes seront signifiées par ce même mot. C'est dire que ce même mot renverra à des idées ou à des notions différentes.

Pour donner un exemple de la façon dont il faut s'y prendre pour formuler clairement une thèse en passant par des définitions, considérons le problème suivant : « La volonté peut-elle faire défaut chez un être humain ? » Il s'agit de se demander laquelle des définitions possibles du mot « volonté » et de l'expression « faire défaut » est pertinente et nous aidera à formuler plus clairement notre thèse. En consultant un bon dictionnaire, par exemple le *Petit Robert*, on découvre que le premier sens de volonté, c'est *ce que veut quelqu'un et qui tend à se traduire par une décision effective conforme à une intention*. C'est en ce sens que, dans son testament, le testateur exprime ses dernières volontés. Il s'agit alors de la volonté concrète qu'exprime une personne. Mais on appelle aussi volonté la *disposition, bonne ou mauvaise, à vouloir et à agir dans un cas déterminé ou à l'égard de quelqu'un*. Par exemple, on dira qu'un tel a la volonté de nuire, tandis que tel autre a la volonté d'aider, ou qu'un étudiant, qui devrait étudier davantage, manque de volonté de le faire. Le mot peut aussi renvoyer à *la faculté de vouloir, de se déterminer librement à agir ou à s'abstenir, en pleine connaissance de cause et après réflexion*. C'est ce sens du mot qui est visé lorsqu'on dit que l'être humain possède l'intelligence et la volonté, tandis que l'animal est déterminé par un instinct naturel. Le mot renvoie alors à une faculté, à une capacité innée de tout être humain. Quant à l'expression «faire défaut», elle peut signifier «devenir absent, manquer tout à fait» ou «avoir des faiblesses, des imperfections».

Quand vient le temps de se demander si la volonté peut faire défaut, il faut examiner lesquelles de ces définitions sont concernées. Le mot «volonté» peut-il être pris, ici, au sens de «ce que veut quelqu'un»? Est-il pertinent de se demander si la volonté prise en ce sens peut faire défaut? Par exemple, est-ce une question qui a du sens, de savoir si oui ou non les dernières volontés de quelqu'un ont fait défaut? Certes non: on se demanderait plutôt si elles ont été exprimées ou non par le défunt avant de mourir. Par ailleurs, passant au troisième sens du mot «volonté», on voit mal comment une capacité innée comme la *faculté de vouloir* pourrait être absente chez un représentant de l'espèce humaine qui, par nature, la possède. Reste donc, si l'on entend soutenir que c'est l'affirmative qui est vraie, la nécessité de clarifier cette thèse en remplaçant les termes clés (*volonté* et *faire défaut*) par leur définition respective dûment choisie. On dira donc, en guise de clarification, «la disposition à vouloir peut, chez certains, manquer tout à fait, ou du moins présenter de sérieuses carences».

À l'opposé, omettre de prendre connaissance des définitions possibles, c'est demeurer dans une certaine obscurité et confusion. Par exemple, essayer de résoudre le problème «est-ce que la volonté peut faire défaut?» sans porter attention aux sens possibles du mot «volonté», c'est se condamner à un traitement superficiel du sujet. C'est même courir le risque de se disperser ou, pire encore, de tomber dans des contradictions, faute d'avoir su, par exemple, distinguer si le mot «volonté» renvoyait à une faculté naturelle, à un vouloir concret ou à une disposition à telle orientation d'action.

LES PARTIES DE LA DÉFINITION

Pour être en mesure d'apprécier la qualité d'une définition et éviter soi-même de formuler des définitions inadé-
quates, il est bon de savoir qu'une définition rigoureuse se
compose obligatoirement de deux parties : le genre et la
différence spécifique. Exprimer le genre, c'est dire ce que la
chose à définir a essentiellement en commun avec celles qui
lui ressemblent le plus. Par exemple, pour définir ce qu'est
une chaise, je commencerai par dire qu'elle est un meuble ;
ou pour définir l'homme, je dirai d'abord qu'il est un animal ;
ou, pour définir un animal, je commencerai en disant qu'il
est un être vivant. Mais il ne suffit pas de donner le genre
pour définir ; il faut aussi indiquer comment la chose à définir
se distingue des autres choses qui sont du même genre. Il
faudra, ici, essayer de trouver la différence la plus essentielle,
la plus profonde. Par exemple, je compléterai la définition
de la chaise en formulant qu'elle est un meuble *à dossier et
sans bras, pour s'asseoir*. Et celle de l'homme en disant qu'il
est un animal *doué de raison* ; et celle de l'animal en disant
qu'il est un être vivant *doué des sens et de la locomotion*.

LES EXIGENCES D'UNE BONNE DÉFINITION

Puisqu'une définition a pour rôle d'exprimer ce qu'est
une chose, il ne faut pas mettre dans sa définition des notions
qui ne rempliraient pas adéquatement ce rôle. Ainsi, si l'on
met dans la définition le même terme (ou un dérivé grammatical du même terme[1]), une telle définition ne sera pas

---

1. Par exemple, dire que la rapidité, c'est la qualité de ce qui est rapide, ou ce qui fait
   faire les choses rapidement, n'éclaire pas beaucoup. Il arrive cependant qu'un dérivé
   puisse éclairer. Par exemple, on dira que le *volontarisme*, c'est l'attitude d'une
   personne qui croit soumettre le réel à ses *volontés*. Souvent, les dictionnaires défi-
   nissent un mot dérivé en précisant le lien avec le terme dont il dérive. Par exemple,
   on dira que « philosophique » veut dire « relatif à la philosophie » ou, dans un autre

très éclairante, car seules des notions antérieures et plus connues permettent d'éclairer la nature de la chose à définir. À défaut de bénéficier de l'éclairage de telles notions, une définition est circulaire, car elle fait tourner en rond, plutôt que de faire avancer dans la compréhension de la chose. Par exemple, pour définir la volonté, on dit que c'est «ce qui permet d'agir volontairement». Ou, encore, une étudiante qui s'interrogeait sur la nécessité ou non du doute en philosophie a défini ainsi cette notion : «état de celui qui doute…»

Étant donné aussi qu'une définition doit dire tout ce qu'est la chose et rien que ce qu'elle est, il faut faire attention de ne pas utiliser des termes qui rendraient la définition trop large ou trop étroite. Une définition trop large, c'est une définition qui ne délimite pas bien la chose à définir. Elle a le défaut de s'appliquer aussi à autre chose que ce qu'elle est censée définir[2]. Par exemple, si je définis la volonté comme une faculté spirituelle de l'homme, ma définition est trop large car elle s'applique aussi à l'intelligence. À l'inverse, ma définition sera trop étroite si elle ne s'applique pas à tout ce qui est inclus dans la chose à définir. Par exemple, si je définis la sensation comme la faculté de percevoir les couleurs et les sons, ma définition sera trop étroite parce qu'elle n'englobe pas le toucher, le goût et l'odorat.

---

sens, «qui touche à des problèmes de philosophie». Cela peut être éclairant, à condition de connaître la définition du terme primitif (celle du mot «philosophie», en l'occurrence). Mais jamais il ne faudra procéder à l'inverse et définir la philosophie comme ce à quoi ce qui est philosophique est relatif.

2.   Ce n'est pas pour rien que le mot latin *definitio* avait comme premier sens l'*action de délimiter* (un terrain, par exemple).

Tableau des parties de la définition

	Le genre	La différence spécifique
Rôle	Exprime ce que la chose à définir a en commun avec celles qui lui ressemblent le plus.	Indique comment la chose à définir se distingue des autres choses qui sont du même genre.
Exemple L'être humain est	un animal	doué de la raison.

Tableau des exigences et défauts d'une définition

Exigences à respecter	Défauts à éviter
Être constituée de notions plus connues que le défini.	Être circulaire : contenir le défini ou un dérivé grammatical du défini.
Bien délimiter la notion à définir, de façon à s'appliquer seulement à elle.	Être trop large : s'appliquer aussi à autre chose que le défini.
Bien délimiter la notion à définir, de façon à s'appliquer à tout ce qui est inclus en elle.	Être trop étroite : ne pas s'appliquer à tout le défini.

QUESTIONS

1. Qu'est-ce qu'une définition ?

2. Que faut-il faire quand un ou des mots qui entrent dans la formulation de notre problème ont plusieurs sens ?

3. De quelles parties se composent obligatoirement une définition rigoureuse ?

4. Indiquez trois défauts qui peuvent affecter la qualité d'une définition.

Vrai ou faux ?

1. Préciser la définition d'un terme clé qui entre dans la formulation d'une thèse aide à clarifier cette thèse.

2. À chaque sens différent d'un mot correspond une définition différente.

3. Pour prendre une position claire, il suffit d'indiquer si l'on répond par l'affirmative ou si l'on répond par la négative à la question.

4. Utiliser dans une définition un dérivé grammatical du terme à définir est une façon simple et efficace d'expliquer ce qu'est une chose.

5. Une bonne définition doit s'appliquer rien qu'au terme à définir et à tout ce qui est inclus dans le terme à définir.

Exercice sur la définition

I- À l'aide des définitions proposées, clarifiez la thèse que vous choisiriez en rapport avec le problème proposé et justifiez brièvement votre choix.

Attention : clarifier, ce n'est pas argumenter, c'est simplement formuler une thèse en remplaçant les mots qui étaient dans la question par leurs définitions. Justifier son choix, c'est, par ailleurs, argumenter, en donnant la raison qui vous amène à opter pour l'affirmative plutôt que pour la négative (ou l'inverse).

Exemple :

La volonté peut-elle faire défaut ?

Définitions :

Volonté :

1) ce que veut quelqu'un et qui tend à se traduire par une décision effective conforme à une intention.

2) disposition, bonne ou mauvaise, à vouloir et à agir dans un cas déterminé ou à l'égard de quelqu'un.

3) faculté de vouloir, de se déterminer librement à agir ou à s'abstenir, en pleine connaissance de cause et après réflexion.

Faire défaut :

1) devenir absent, manquer tout à fait.

2) avoir des faiblesses, des imperfections.

Réponse :

Thèse choisie : La volonté peut faire défaut.

Clarification : La disposition bonne ou mauvaise à vouloir peut manquer tout à fait ou du moins présenter de sérieuses carences.

Justification : Une disposition s'acquiert et peut se perdre.

Autre possibilité :

Thèse choisie : La volonté ne peut faire défaut.

Clarification : La faculté de vouloir, de se déterminer librement à agir ou à s'abstenir, en pleine connaissance de cause et après réflexion, ne peut devenir totalement absente chez un être humain normalement constitué.

Justification : Une faculté existe en nous de façon innée ; tout le monde, nécessairement, la possède et, à moins de handicap grave, peut l'exercer.

À votre tour maintenant !

1. Le savoir doit-il toujours être pratique ?

Définitions :

Savoir :

1. Ce que l'on sait, ensemble de connaissances assez nombreuses, plus ou moins systématisées, acquises par une activité mentale suivie. *Un savoir acquis par l'étude.*

2. Les savants, la science. *Que la raison conduise et le savoir éclaire.*

Pratique:

1. Qui concerne l'action, la transformation de la réalité extérieure par la volonté humaine. *Jugements pratiques.*

2. Utilitaire. *Considérations pratiques. Détails pratiques.*

3. Qui concerne le sens des réalités, l'aptitude à s'adapter aux situations concrètes et à défendre ses intérêts matériels. *Être dépourvu de tout sens pratique.*

4. Qui est ingénieux et efficace, bien adapté à son but. *Un instrument pratique, un horaire peu pratique.*

Thèse choisie:

Clarification:

Justification:

2. Le mythe a-t-il encore du pouvoir sur nos esprits?

Définitions:

Mythe:

1. Récit fabuleux, le plus souvent d'origine collective, qui met en scène des êtres incarnant sous une forme symbolique des forces de la nature, des aspects sociaux de l'être humain ou de la condition de l'humanité. *Les mythes grecs.*

   Par extension: Représentation de faits ou de personnages dont l'existence historique est réelle ou admise, mais qui ont été déformés ou amplifiés par l'imagination collective, la tradition littéraire. *Le mythe de Faust, le mythe de Don Juan.*

2. Pure construction de l'esprit, invention sans rapport avec la réalité. *La fatalité n'est qu'un mythe.*

3. Expression d'une idée, exposition d'une doctrine ou d'une théorie au moyen d'un récit poétique (synonyme d'allégorie). *Le mythe de la caverne de Platon.*

4. Représentation idéalisée de l'état de l'humanité dans un passé ou un avenir fictif. *Le mythe de l'âge d'or.*

Pouvoir :

1. Le fait de disposer de moyens naturels ou occasionnels qui permettent une opération particulière. *Le pouvoir de parler.*

2. Capacité légale de faire une chose. *Pouvoir d'un mandataire.*

3. Propriété physique (d'une substance placée dans des conditions déterminées). *Pouvoir absorbant.*

4. Le fait de disposer de moyens d'action sur quelqu'un ou sur quelque chose. *Le pouvoir des mots.*

5. Puissance politique à laquelle est soumis le citoyen. *Pouvoir tyrannique.*

Thèse choisie :

Clarification :

Justification :

3. Est-ce que croire est une attitude philosophique ?

Définitions :

Croire (comme verbe intransitif) :

1. Avoir une attitude d'adhésion intellectuelle (sans preuve formelle). *Croire sans comprendre.*

2. Avoir la foi. *Heureux ceux qui croient sans avoir vu.*

Philosophique :

1. Relatif à la philosophie. *Réflexion philosophique, Problèmes philosophiques.* (Philosophie : 1. [Anciennement] Connaissance par la raison, savoir rationnel ; 2. [Moderne] Ensemble des études, des recherches visant à saisir les causes premières, la réalité absolue ainsi que les fondements des valeurs humaines, envisageant les problèmes à leur plus haut

degré de généralité, et s'exprimant dans une langue naturelle, sans appareil formel.)

2. Qui touche à des problèmes de philosophie. *Art philosophique.*

3. Qui dénote de la sagesse, de la résignation. *Une indifférence proprement philosophique.*

Thèse choisie :

Clarification :

Justification :

II- Jugez de la qualité des définitions suivantes en discernant si elles sont adéquates ou non. Dans ce dernier cas, précisez leur défaut : sont-elles circulaires, trop larges ou trop étroites ?

1. Philosophie : ensemble des pensées élaborées par les philosophes.

2. Mythe : récit imaginaire.

3. Allégorie : mode d'expression consistant à représenter une idée abstraite, une notion morale, par une image ou un récit, où souvent (mais non obligatoirement) les éléments représentants correspondent trait pour trait aux éléments de l'idée représentée.

4. Religion : ensemble de croyances et de pratiques, impliquant les relations avec Dieu le Père, Dieu le Fils et Dieu le Saint-Esprit.

5. Science : ensemble des connaissances scientifiquement établies.

6. Mesure : action de déterminer la valeur d'une grandeur par comparaison avec une grandeur constante de même espèce, prise comme terme de référence (étalon ou unité).

7. Définition : résultat de l'opération mentale qui consiste à définir les choses.

8. Mythologie : ensemble des mythes propres aux anciens Grecs.

9. Culture : ensemble des activités et des institutions consacrées aux spectacles.

III- Donnez le genre et la différence spécifique dans les définitions suivantes. Trouvez aussi une autre espèce rangée sous le même genre et définissez-la.

Exemple :

Animal : être vivant doué de la sensation.

Réponse :

Genre : être vivant ;

Différence spécifique : doué de la sensation ;

Autre espèce : végétal = être vivant dépourvu de la sensation.

À votre tour maintenant !

1. Être humain : animal doué de raison (par opposition aux bêtes).

2. Vice : disposition à mal agir.

3. Être vivant : corps capable de se nourrir, de croître et de se reproduire.

Comment rédiger un bon développement et une bonne conclusion de texte argumentatif

LES ARGUMENTS APPUYANT LA THÈSE

Voici d'abord quelques remarques par rapport au début du développement : Même dans le cas où l'on n'a pas révélé sa réponse dans l'introduction, on doit avoir clairement dans l'esprit, au moment d'entreprendre sa rédaction, la thèse que l'on va soutenir. On entend ici par *thèse*[1] une proposition qu'on tient pour vraie et qu'on va défendre par des arguments. L'essentiel du développement d'un texte argumentatif consiste à argumenter en faveur d'une thèse.

Pour comprendre comment on passe de la présentation du problème à l'énoncé d'une thèse, il faut savoir qu'il y a toujours deux réponses possibles au problème posé : oui ou non. À chacune de ces réponses correspond une thèse. Un texte argumentatif, dans son développement, fait clairement ressortir la thèse que l'on défend. Autrement dit, il faut qu'on se branche, il faut prendre position. Il ne faut pas que le

---

1. Le mot vient du grec *thesis*, qui désigne, dans son premier sens le plus concret, l'action de poser, de placer. Au sens abstrait, le mot renvoie à l'action de poser une thèse, d'établir un principe. Étymologiquement, c'est l'équivalent du mot latin *positio*, dont dérive notre mot « position ». Mais, dans notre usage actuel, le mot « position » est utilisé surtout pour désigner l'ensemble des idées que l'on soutient, dans un débat ou une discussion et qui permettent de se situer par rapport à d'autres personnes.

lecteur, après avoir lu le texte, se demande encore de quel côté se situe son auteur. On ne peut pas rester neutre ; il ne faut pas se contenter de rapporter des arguments pour et des arguments contre. Cela dit, il n'est jamais interdit d'être nuancé ; mais, même en apportant toutes les nuances jugées pertinentes, il doit rester clair qu'on est plutôt pour, ou plutôt contre, selon la thèse qu'on aura choisie.

Une autre exigence est de toujours s'assurer que notre thèse a directement rapport avec la question, avec le problème soulevé dans l'introduction. Procéder autrement, ce serait comme annoncer une chose et en faire une autre.

Comment choisir la thèse qu'on va défendre ? Le choix ne doit pas se faire de façon arbitraire. Chacun a le devoir de chercher la vérité. Ce devoir de vérité implique un devoir de réflexion. À chacun de réfléchir, une fois qu'un problème lui a été soumis, et aussi d'écouter, de lire, de se documenter, pour prendre connaissance des arguments proposés par ceux qui, avant nous, ont déjà réfléchi à la question. Une fois ce travail de réflexion effectué, on sera en meilleure position pour juger de quel côté penche la balance, compte tenu non pas seulement du nombre mais surtout de la force (valeur de vérité) respective des arguments proposés. À chacun de se servir de son jugement, de discerner entre ce qui est rationnellement acceptable et ce qui l'est moins, entre les points de vue plus profonds et ceux qui sont plus superficiels, entre les aspects les plus essentiels et ceux qui sont plus accidentels.

Quand on choisit une thèse, cela implique du même coup qu'on refuse la thèse contraire. Il faut cependant faire bien attention de ne pas se mettre dans la situation d'avoir à choisir entre deux possibilités aussi invraisemblables l'une que l'autre, ou de présenter comme contradictoires des propositions qui ne le sont pas vraiment. Par exemple, si le problème à discuter est « tous les politiciens sont-ils menteurs ? », il ne faudrait pas se sentir obligé de choisir entre

« tous les politiciens sont des menteurs » et « aucun politicien n'est menteur[2]. » Il serait plus approprié de défendre l'idée que « certains politiciens sont des menteurs[3] », car il est peu vraisemblable qu'ils le soient tous. Et si l'on choisit de défendre cette idée, il ne faudrait pas s'imaginer qu'elle est attaquée par l'idée que « certains politiciens ne sont pas menteurs ».

Une fois qu'on s'est fait une idée sur le parti à prendre, il faut bien sûr, dans un texte argumentatif, présenter des arguments à l'appui de sa thèse. Cela devra se faire dans la section « développement ». Si l'énoncé du problème renferme des termes peu connus ou équivoques, il pourra s'avérer pertinent, si cela n'a pas déjà été fait dans l'introduction, de consacrer le premier paragraphe du développement à la clarification. Ce travail d'explication de la thèse défendue et de définition des concepts clés qui pourraient prêter à confusion peut aussi se faire au fur et à mesure qu'on développe ses arguments. D'une façon ou d'une autre, il faut s'assurer d'être bien clair et éviter toute équivoque.

Ensuite, il reste à démontrer sa thèse. Voici, à ce propos, quelques écueils à éviter.

La pire chose à faire, dans un texte *argumentatif*, serait de ne présenter aucun argument. Dans ce cas, on aura sans doute rédigé un texte, mais il ne sera pas argumentatif. Si par exemple, en rapport à la question « est-ce que la réflexion contribue au bonheur ? », on faisait valoir que la réflexion contribue au bonheur *parce que réfléchir rend heureux*, ce

---

2. On appelle « contraires » des énonciations qui s'opposent de cette façon. Ce sont toujours des énonciations universelles (dont l'une est affirmative et l'autre négative) qui s'opposent ainsi. On n'a pas toujours à choisir entre l'une ou l'autre, car elles peuvent être toutes les deux fausses.

3. Cette énonciation est contradictoire de « Aucun politicien n'est menteur ». On doit toujours choisir entre l'une ou l'autre, car elles ne peuvent jamais être toutes les deux vraies ni être toutes les deux fausses.

«parce que» n'introduirait aucun argument. On ne ferait que reformuler en d'autres mots la même idée.

Un autre exemple à ne pas suivre, c'est de se contenter de raconter des choses, sans jamais dépasser le niveau de l'anecdote personnelle ; comme le ferait celui qui, pour appuyer l'idée que la réflexion ne contribue pas au bonheur, ne ferait que raconter comment, dans les rares moments de sa vie où il a été forcé de réfléchir, il a souffert terriblement ou s'est ennuyé à mourir.

Aussi, puisqu'on demande généralement au moins deux arguments, il faut élaborer deux arguments distincts. Les raisons invoquées à l'appui de chacun des arguments doivent être différentes. Il ne faut pas présenter comme un deuxième argument ce qui n'est qu'une reprise, en termes différents, du premier, parce qu'on utiliserait à nouveau la même raison.

De plus, ne dévions pas du sujet ; nos arguments auront un rapport direct avec la thèse. Chaque paragraphe et même chaque phrase du développement est là pour aider le lecteur à mieux comprendre le bien-fondé de la thèse.

Enfin, attention aux arguments trop superficiels : pour trouver de bons arguments, il faut prendre le temps de réfléchir à fond.

Certes, il y a bien des façons de développer ses idées. Par exemple, il n'est pas interdit d'enrichir son texte en ayant recours à des exemples et à des phrases qui expliquent et nuancent le point de vue adopté. Même si l'on a déjà utilisé des éléments de clarification avant de présenter ses arguments, il peut s'avérer pertinent d'apporter de nouvelles clarifications à mesure qu'on développe de nouvelles idées et de nouveaux arguments. Surtout, il ne faut jamais cesser d'être attentif au sens des mots qu'on utilise tout au long de son développement. La définition des principaux termes ne dispense pas de la nécessité de tenir compte, par la suite, de ces définitions.

L'OBJECTION ET LA RÉFUTATION

Dans la partie « développement » du texte argumentatif, on ne demande pas simplement de présenter ses arguments. On demande aussi de présenter une objection et une réfutation, c'est-à-dire un contre-argument et une réponse à ce contre-argument.

Pourquoi cette exigence? Elle vise à rendre capable de bien défendre une thèse; pour y arriver, il faut avoir vu l'autre côté de la médaille, il faut être capable de se mettre dans la peau d'un adversaire, de prévoir ce que dirait celui qui pense le contraire de ce que l'on pense. C'est la meilleure façon de faire preuve d'esprit critique.

Qu'est-ce que c'est, au juste, une objection? C'est un contre-argument, c'est-à-dire un argument qui s'oppose à l'une des composantes d'une argumentation. Il s'agit, au fond, d'élaborer un raisonnement qui s'oppose à l'une ou à plusieurs des prémisses qui appuient la thèse, ou qui s'oppose directement à la conclusion. Dans ce dernier cas, on le fait en proposant des raisons qui vont dans le sens contraire; ce faisant, on ne touche pas aux raisons qui avaient été données à l'appui de la thèse.

On a recours à des objections dans son texte quand on pressent que certaines choses dites à l'appui de la thèse pourraient être contestées ou que la thèse elle-même pourrait être directement contestée par des raisons contraires. Soulever une objection contre ce que nous avons dit, c'est en quelque sorte se faire l'avocat du diable à l'égard de ses propres arguments. Rien de tel, pour éprouver la solidité d'une thèse et des raisons qui l'appuient, que d'essayer de la démolir, pour ensuite montrer qu'elle résiste aux coups portés contre elle.

Pour qu'une objection serve vraiment à mieux défendre la thèse, il faut, bien sûr, et d'autant plus que l'objection paraîtra forte et pertinente, être capable d'y répondre. C'est là qu'entre en jeu la réfutation, qui consiste justement, du moins dans le contexte du texte argumentatif[4], à mettre en évidence la fausseté d'une objection. Ainsi contrée, l'objection ne fera plus obstacle au point de vue.

Une chose à laquelle il faut faire bien attention, quand on rédige son texte, c'est de présenter correctement son objection, en s'exprimant clairement ou en veillant à ce qu'il soit bien clair qu'on n'est pas en train de se contredire, mais simplement de considérer une opinion adverse. Souvent, on commence son objection par des mots tels que «Certains disent que...», ou «On pourrait ici objecter que...» Ensuite, on la réfute en disant quelque chose comme «à cela, il faut répondre que...», ou «mais cette objection ne tient pas; en effet,...»

Quand vient le temps de choisir son objection, il y a deux écueils à éviter. Le premier, c'est de prendre comme objection quelque chose de trop simple, d'invraisemblable. Ce sera certes très facile à réfuter, mais le recours à une objection aussi simpliste ne contribuera pas du tout à donner de la crédibilité à son point de vue ni à démontrer qu'on est capable de considérer sérieusement le point de vue adverse.

L'autre écueil à éviter, c'est de présenter une objection plus forte que les arguments en faveur de la thèse, une objection qu'on se sent incapable de réfuter. Dans ce cas, il faut tâcher de faire preuve d'honnêteté intellectuelle et de voir ce qu'il y aurait lieu de reconsidérer: y aurait-il lieu de changer sa position et d'utiliser cette idée comme argument à l'appui de sa nouvelle thèse? Ou de chercher de meilleurs arguments, plus profonds, à l'appui de sa thèse? Ou de se documenter davantage pour découvrir comment réfuter l'objection? Ou de trouver une autre idée d'objection qui,

---

4.　Dans d'autres contextes, la réfutation consistera à mettre en évidence la fausseté d'une thèse. C'est ainsi que, dans les dialogues de Platon, Socrate réfute diverses tentatives de définition, qui sont tout autant de thèses défendues par son interlocuteur.

sans être simpliste, ne sera pas aussi difficile à réfuter? Quoi qu'il en soit, on doit demeurer à la recherche de la vérité et garder à l'esprit que l'incapacité à réfuter une objection ne contribuera qu'à affaiblir notre position aux yeux du lecteur.

Bien évidemment, les réactions subjectives sont à proscrire. Il ne faut jamais commencer sa réfutation en disant : «cette objection est complètement stupide», ou d'autres remarques du genre.

LA CONCLUSION

Une fois ses arguments, son objection et sa réfutation présentés, il ne reste plus qu'à conclure. Cette section est censée occuper un espace un peu moindre que l'introduction (qui, elle, est censée occuper entre 10 % et 15 % du texte). Un paragraphe de conclusion correctement construit a deux fonctions. La conclusion sert, d'une part, à rappeler l'intérêt de l'enquête : il s'agit de faire ressortir l'essentiel du développement, de mettre en évidence l'unité du propos. D'autre part, la conclusion sert à clore élégamment le texte, le plus souvent – mais ce n'est pas toujours nécessaire, ce n'est pas la seule façon de faire – en ouvrant sur d'autres horizons, par exemple en présentant une interrogation sur laquelle a débouché notre étude. Cela peut prendre l'allure d'un entonnoir renversé, allant du plus particulier au général.

Pour que la façon de quitter son sujet soit élégante, il faut qu'on amène une idée qui dépasse le sujet traité, mais qui est tout de même en lien avec lui. On peut aussi souligner un aspect du sujet qui n'a pas été traité. Une autre possibilité consiste à terminer par une brève critique ou à évoquer certaines limites dans le traitement qu'on a fait du sujet.

Deux écueils sont ici à éviter quand vient le temps de quitter son sujet : il faut éviter de reprendre en détail une idée ou un argument déjà présentés dans son texte ; il faut aussi éviter de présenter une idée banale, sans intérêt, ou qui est tellement peu liée au sujet qu'elle surgit comme un cheveu sur la soupe.

LE PROCESSUS DE RÉDACTION

Quelques remarques sur le processus de rédaction. Il n'existe pas de procédé mécanique pour produire un texte argumentatif de qualité, mais il est tout de même possible de suggérer une procédure qui facilitera le processus de rédaction en lui apportant une certaine rigueur :

- comprendre le problème (le sens des mots dans la question, les reformulations possibles, les présupposés, le pour et le contre) ;
- choisir une position éclairée : se documenter, méditer le problème, construire (au moins dans sa tête) son argumentaire, énoncer sa thèse ;
- élaborer un plan de rédaction suffisamment détaillé ;
- rédiger le texte en suivant son plan ;
- réviser le texte, selon trois aspects : réviser le contenu et la forme à la lumière des critères de correction établis par le professeur (tout ce qui est affirmé dans le texte est-il réaliste ? Le texte contient-il toutes les parties demandées ? Est-il, d'un bout à l'autre, cohérent ? etc.), puis réviser pour détecter les fautes de français (orthographe, grammaire et syntaxe).

Tableau des parties du développement

Partie du développement	Fonction	Défauts à éviter
Les arguments en faveur de la thèse	Appuyer la thèse.	Ne pas prendre clairement position.
		Choisir sa thèse de manière irréfléchie.
		Se contenter d'arguments superficiels.
		Omettre de clarifier ce qui aurait besoin de l'être.
		Se contenter de reformuler la thèse.
		Se contenter d'anecdotes.
		Utiliser deux fois le même argument.
L'objection	Considérer ce qui pourrait s'opposer à la thèse.	Utiliser une idée simpliste.
		Utiliser un argument qu'on sera incapable de réfuter.
La réfutation	Manifester la fausseté de l'objection.	Réagir de façon émotive.

Tableau des parties de la conclusion

Partie de la conclusion	Fonction	Stratégies possibles	Défauts à éviter
Le rappel du propos	Rappeler l'intérêt de l'enquête.	Résumer de manière à faire ressortir l'unité du propos.	Se contenter de répéter une partie du développement.
		Reformuler la thèse tout en évoquant brièvement ce qui a servi à l'établir.	Rappeler trop de détails. Rappeler des points secondaires.
		Souligner la portée de ce qu'on a établi.	Omettre de rappeler le plus essentiel.
La finale	Clore élégamment le texte.	Ouvrir sur d'autres horizons.	Reprendre une idée déjà présentée.
		Terminer par une brève critique.	Finir avec une question à laquelle on a déjà trouvé une réponse.
		Évoquer certaines limites dans le traitement du sujet.	Présenter une idée banale.
			Présenter une idée peu liée au sujet.

QUESTIONS

1. Avant de commencer à rédiger le développement, doit-on nécessairement savoir quelle thèse on va défendre? Pourquoi?

2. Quel est le principe d'unité des diverses considérations qu'on peut faire dans le développement d'un texte argumentatif? Autrement dit: qu'est-ce qui donne sa raison d'être à chaque phrase de notre texte?

3. En présentant une objection, court-on le risque d'affaiblir sa position? Expliquez.

Vrai ou faux?

1. Il n'est pas nécessaire, au moment d'entreprendre sa rédaction, de savoir d'avance quelle thèse on va soutenir.

2. Dans un texte argumentatif, on peut rester neutre, il n'est pas nécessaire de prendre position d'un côté plutôt que de l'autre.

3. Il est normal que le choix d'une thèse se fasse de façon assez arbitraire.

4. Si l'on ne précise pas le sens du vocabulaire utilisé, on court le risque que le lecteur interprète incorrectement le propos.

5. Raconter de bonnes anecdotes personnelles est la meilleure façon de développer ses idées dans un texte argumentatif.

6. Les arguments développés n'ont pas toujours besoin d'avoir rapport directement avec la thèse à défendre; l'important est qu'ils permettent de donner plus d'ampleur au texte.

7. Présenter une objection et une réfutation, cela revient à présenter un contre-argument et une réponse à ce contre-argument.

8. Quand on développe ses idées, il ne faut pas se faire l'avocat du diable à l'égard de ses propres arguments, car cela affaiblit notre argumentation.

9. Il convient de choisir comme objection une idée assez simple, comme cela, elle sera plus facile à réfuter.

10. Si jamais l'objection qu'on a trouvée est plus forte que les arguments en faveur de la thèse et qu'on se sent incapable de la réfuter, on peut la garder quand même et dire, bien honnêtement, qu'on est d'accord avec celle-ci.

11. Il est bon de dire, en réponse à l'objection, des choses comme «cette idée est totalement absurde!», car cela manifeste qu'on est très convaincu et cela impressionne le lecteur.

12. C'est une bonne idée, dans la conclusion, de revenir sur une idée ou un argument déjà présenté dans le texte, pour l'approfondir.

13. Une fois qu'on a bien compris le problème et qu'on a choisi sa position de façon éclairée, il est recommandé de faire un plan de rédaction, puis de rédiger en suivant ce plan, et enfin de réviser son texte.

EXERCICE SUR UN DÉVELOPPEMENT ET UNE CONCLUSION DE TEXTE ARGUMENTATIF

I- Jugez de la qualité du développement ci-dessous, tiré de la dissertation[5] d'un étudiant qui soutenait que «subir une injustice est un plus grand mal que commettre une injustice» :

- ce développement contient-il deux arguments distincts?

- les arguments appuient-ils exactement la thèse, sans dévier du sujet?

- sont-ils assez profonds, ou trop superficiels?

- une objection a-t-elle été présentée? Si oui, est-elle simpliste, trop forte, ou correcte?

- une réfutation a-t-elle été présentée? Si oui, répond-elle correctement à l'objection?

---

5.   Le texte de l'étudiant a toutefois été légèrement retouché : les fautes ont été éliminées et certaines idées ont été reformulées pour plus de clarté et d'agrément dans la lecture.

En premier lieu, subir une injustice est un plus grand mal que commettre une injustice, puisque, lorsque nous sommes traités de façon inéquitable, il est souvent impossible ou fort difficile d'y remédier. En ce sens, Socrate est condamné en n'ayant commis aucune injustice envers quiconque, malgré ses efforts pour faire valoir la justice de ses actes. Il s'attendait à être jugé injustement, car, comme il le dit aux Athéniens, « aucun être humain ne gardera la vie sauve s'il s'oppose franchement à vous ou à toute autre assemblée et s'il empêche de nombreuses injustices et illégalités qui surviennent dans la cité » (Apologie de Socrate, 32a). Voilà qui prouve que le juste n'a pas sa place en société, puisque la personne qui se bat pour ce qui est vrai et juste et qui dénonce les iniquités de la société se voit jugée et se fait imposer une peine. C'est donc un grand mal de subir une injustice, comme celle dont est victime Socrate, puisqu'on le condamne malgré le fait qu'il n'a perpétré aucun acte répréhensible envers quiconque.

En second lieu, subir une injustice se fait contre son gré, cela est donc un plus grand mal que commettre une injustice. En effet, lorsque nous commettons un acte, qu'il soit bon ou mauvais, on le fait parce qu'on l'a voulu, que ce soit de façon préméditée ou non. Dans l'Apologie, Socrate se fait imposer une peine pour un crime qu'il n'a pas commis. Quand vient le moment de proposer une peine moindre, il dit qu'il n'ira pas commettre une injustice envers lui-même en disant qu'il mérite un mal. Voilà qui démontre clairement l'injustice subie par Socrate : on lui impose une peine sans raison valable, on le punit pour un mal qu'il n'a pas commis, on lui demande de proposer une peine envers lui-même. Or, accepter de proposer une peine serait commettre une injustice envers lui-même, car il n'a pas à écoper d'une condamnation pour un acte qu'il n'a pas perpétré.

Par contre, commettre une illégalité est un acte souvent intentionnel, donc cela est aussi un grand mal. Lorsqu'une injustice est commise de façon non intentionnelle, sa gravité

est moindre que dans le cas d'une injustice commise inten-
tionnellement. En effet, celui qui est intentionnellement
injuste veut faire du mal à autrui ou, du moins, désobéir
volontairement aux lois. Socrate considère cela aussi comme
un grand mal, comme le manifeste ses propos visant Mélètos :
« Je crois à l'inverse que c'est ce qu'il fait, lui – entreprendre
de faire mourir injustement un homme –, qui est un bien
plus grand mal » (Apologie de Socrate, 30d). Voilà qui
prouve que Socrate trouve que commettre une injustice est
aussi un grand mal, car dans ce cas il s'agit de faire du mal
à une personne.

En conclusion, subir une injustice est un plus grand mal
que commettre une injustice, puisqu'il est souvent très dif-
ficile d'y remédier et que, lorsqu'on subit une injustice, cela
se fait contre son gré. Ainsi, lorsque nous subissons une
injustice et que nos droits sont bafoués, c'est un plus grand
mal que commettre une illégalité.

Exemple de réponse :

Réponse à la question sur la présence de deux arguments distincts

Le développement contient deux arguments distincts.
Le premier conclut que subir l'injustice est un grand
mal, en se fondant sur le principe que subir une injustice
est quelque chose auquel il est difficile de remédier. Cette
idée est elle-même appuyée sur le principe que « se faire
imposer une peine pour sa dénonciation des iniquités
est subir une injustice » (et que « se faire imposer une
peine pour sa dénonciation des iniquités est difficile à
remédier »). Le deuxième conclut que subir une injustice
est un plus grand mal que commettre une injustice, parce
que « subir une injustice se fait contre son gré » et que
« tout ce qui se fait contre son gré est un plus grand mal
que ce qui découle de ce qu'on a voulu ».

À votre tour maintenant de répondre aux autres questions qui permettent de juger de la qualité du développement !

II- Jugez maintenant de la qualité de la conclusion du texte ci-dessus :

- rappelle-t-elle l'intérêt de l'enquête ?
- inclut-elle une finale qui permet de clore élégamment le texte ?

EXERCICE SUR LA PRÉSENTATION ET LA DÉFENSE DE LA THÈSE

I- Dans les textes ci-dessous, extraits de dissertations d'étudiants[6] sur la question « commettre une injustice est-il vraiment un plus grand mal que subir une injustice ? », une thèse a-t-elle été correctement choisie, présentée et défendue ? Expliquez en étant attentif aux aspects suivants :

- Une seule thèse a-t-elle été choisie, ou si, en raison d'un changement d'idée en cours de route, deux thèses contradictoires ont été tour à tour défendues ?
- La thèse a-t-elle été présentée deux fois, ce qui occasionne une répétition inutile ?
- La thèse a-t-elle été réellement défendue par un argument développant des idées suffisamment liées à la thèse pour pouvoir l'appuyer ?

1. Extrait de dissertation 1 (début du deuxième et début du troisième paragraphe du développement)

À mon avis, il y a autant de mal à commettre une injustice qu'à en subir une. La personne qui commet une injustice fait du mal à certaines personnes ou leur cause des problèmes [...].

---

6. Les textes ont été remaniés de façon à rendre la lecture plus facile.

Cependant, en me posant la question : «commettre une injustice est-il un plus grand mal que subir une injustice?», je suis d'abord porté à dire qu'il y a autant de mal dans un cas que dans l'autre, comme je l'ai décrit précédemment, mais, en y pensant plus longuement, j'affirme que commettre une injustice est un plus grand mal que d'en subir une. En effet, lorsqu'on commet une injustice, on a pour but de faire du mal à une ou plusieurs personnes et on cherche à leur apporter des problèmes, tandis que la personne qui subit cette injustice ne l'a pas choisi. Cette victime n'a rien demandé et n'a rien fait pour la subir. C'est pour cette raison que commettre l'injustice est un plus grand mal.

2. Extrait de dissertation 2 (deuxième moitié de l'introduction et début du développement)

«Commettre une injustice est-il vraiment un plus grand mal que d'en subir une?» En me fondant sur le cas de Socrate ainsi que sur ce qui se passe dans la vie de tous les jours, je soutiens l'idée que commettre une injustice représente un plus grand mal que d'en subir une. Pour appuyer cette idée, j'examinerai tour à tour la vision que renvoie une injustice à la société et les conséquences au fait de commettre une injustice [...].

Avant de commencer mon argumentation, je tiens à préciser que je suis convaincu que le fait de commettre une injustice représente un plus grand mal que d'en subir une. Par injustice, j'entends ici ce dont Socrate est accusé dans son Apologie : on lui reproche d'amener des jeunes à le suivre afin d'écouter ce qu'il a à dire ou encore de remettre en question les capacités de certains dans leur domaine. Bref, j'entends par injustice tout ce qui ne plaît pas à la plupart des gens et qui est mal vu.

Tout d'abord, j'en viens à mon premier argument, qui consiste à expliquer ce que la société voit en l'injustice. Il faut savoir que la clé dans une société qui vit dans l'ordre et la démocratie, c'est le pouvoir du nombre. Une personne seule avec des idées différentes ne peut réussir à se frayer un chemin aisément dans la politique. Au temps de Socrate tout comme aujourd'hui, les lois, traitant de ce qui est juste et injuste, sont pensées, votées et appliquées dans le grand domaine de la politique. Tout cela pour dire que la politique juge de ce qui est bien et de ce qui ne l'est pas [...].

EXERCICE DE CHASSE AUX CONTRADICTIONS

I- Dans les textes ci-dessous, extraits de dissertations d'étudiants, toutes les affirmations s'accordent-elles entre elles? Si non, quelle sorte d'opposition amène une incohérence?

1. Extrait de dissertation 3 (amorce et ouverture finale)

L'injustice est présente partout dans notre monde. Une injustice est le fait de recevoir, d'obtenir ou de subir ce qu'on ne mérite pas. En effet, tout le monde en est victime tôt ou tard, même occasionnellement, au cours de sa vie, soit par de fausses accusations, soit par des préjugés de toutes sortes, des rumeurs, etc.

[...]

Pour terminer, oui, certaines injustices sont propagées et non méritées la plupart du temps, comme dans le cas de Socrate, mais existe-t-il de bonnes injustices? Des injustices bénéfiques?

2. Extrait de dissertation 4 (conclusion)

L'activité philosophique contribue-t-elle au bonheur individuel? Pour ma part, j'estime avoir clairement démontré que l'un ne va pas sans l'autre. Les questionnements et les réflexions qui nous amènent à un état de pleine satisfaction nous poussent à remettre en question les vertus qui nous animent ainsi que toutes les étapes qui nous séparent du grand bonheur. Finalement, on peut dire que l'homme

possède le grand pouvoir de penser et l'atteinte de la connaissance ne peut pas se faire uniquement de façon expérimentale. Il doit user de son esprit pour déduire des nouveaux
faits à partir des données observées. Le bonheur est un état
d'esprit engendré par des principes et des valeurs bien à nous
qui nous permettent de lier connaissance, questionnement
et plénitude. On pourrait tout aussi bien associer le bonheur
aux plaisirs des sens, qui nous trompent parfois sur la voie
à suivre pour atteindre notre nirvana intérieur. Sans que
nous nous en rendions compte, ils nous portent à juger un
moment par rapport aux plaisirs qui y sont reliés.

La notion d'argument
ou de raisonnement et ses parties

C'est bien beau de voir un problème et de choisir clairement une thèse, mais le travail ne fait que commencer. Il s'agit maintenant, bien évidemment, d'argumenter, sans quoi on n'aura pas écrit un texte argumentatif. Encore ici, la logique peut nous aider, en nous faisant comprendre plus distinctement ce qu'est un argument, de quelles parties il est constitué et les principales sortes d'arguments qu'on peut produire.

Un argument, c'est ce qu'on doit produire pour justifier notre thèse, pour faire valoir notre position. Argumenter ou raisonner, c'est, au fond, trouver des raisons de penser une chose plutôt que son contraire ; c'est faire de notre thèse une conclusion qui découle de certains principes. Ce qui fait toute la force d'un raisonnement, c'est qu'il oblige tout esprit rationnel à accepter comme vrai ce qui découle nécessairement de certains principes déjà reconnus comme vrais. Pourquoi, par exemple, faudrait-il accepter que « tout mensonge est mauvais » ? Parce que, s'il est admis que « tout mensonge détruit la confiance entre les humains », et sachant par ailleurs que « tout ce qui détruit la confiance entre les humains est mauvais », il résulte nécessairement de cela que « tout mensonge est mauvais ».

Il existe plusieurs sortes de raisonnements. Celui dont on vient de voir un exemple est appelé raisonnement déductif ou déduction. Lui seul permet de conclure avec une stricte nécessité. Les autres sortes, à savoir le raisonnement inductif (ou induction) et le raisonnement par analogie, ne comportent pas le même degré de rigueur et ont leurs particularités, qui seront étudiées plus loin.

DE L'ANTÉCÉDENT AU CONSÉQUENT

Selon un premier niveau d'analyse, on dira qu'un rai-sonnement – de quelque sorte qu'il soit – se compose d'un antécédent (ou argument), qui fait aboutir à un conséquent (aussi appelé conclusion). L'antécédent, c'est le point de départ du mouvement de la raison, c'est ce sur quoi on s'appuie, c'est ce qui est déjà reconnu comme vrai. Le consé-quent, c'est le point d'arrivée de ce mouvement rationnel, c'est ce qui découle de l'antécédent. Dans un discours parlé ou écrit, l'antécédent peut être exprimé en premier, et le conséquent après, mais il est aussi possible d'exprimer les idées dans l'ordre inverse. Par exemple, si je dis «Le men-songe détruit la confiance entre les humains, donc il est mauvais», j'aurai exprimé d'abord l'antécédent, ensuite le conséquent; mais le même raisonnement peut aussi être exprimé dans l'ordre inverse: «Le mensonge est mauvais, puisqu'il détruit la confiance entre les humains.» Un bon moyen d'éviter la confusion, c'est d'être attentif aux mar-queurs de relation, qu'on appelle aussi des connecteurs logiques. Ils servent, chacun à leur façon, à indiquer la présence d'un raisonnement dans le discours parlé ou écrit et à préciser les rapports de dépendance réciproque entre les idées: des mots-liens comme «donc», «par conséquent», «c'est pourquoi», «ainsi» ou «il s'ensuit que», lorsqu'ils sont utilisés par un locuteur ou un scripteur compétent, sont toujours rattachés au conséquent, tandis que des mots comme «puisque», «car», «étant donné que», «en effet» ou «parce que» introduisent l'antécédent. Connaissant bien leur usage respectif, on veillera à les utiliser correctement, sans jamais s'imaginer qu'il suffirait de les écrire au hasard dans son texte pour qu'automatiquement, comme par magie, un raisonnement soit présent.

Ce qui est exprimé avant	Marqueur de relation	Ce qui est exprimé après
« *Le mensonge est mauvais* (conséquent) (vient logiquement après) (moins connu)	*car* *en effet* *puisque*	*il détruit la confiance.* » (antécédent) (vient logiquement avant) (plus connu)
« *Le mensonge détruit la confiance* (antécédent) (vient logiquement avant) (plus connu)	*donc* *par conséquent* *c'est pourquoi*	*il est mauvais.* » (conséquent) (vient logiquement après) (moins connu)

Dans un texte argumentatif, la thèse qu'on choisit de défendre devient le conséquent. On l'appelle ainsi parce qu'elle s'ensuit (*sequitur*, en latin) de ce qu'on dit pour l'appuyer. Dans le développement, il s'agit de présenter des « antécédents », c'est-à-dire des idées qui viennent *avant* (*ante*, en latin) dans la mesure où c'est à partir de celles-ci qu'on raisonne, c'est de celles-ci que découle notre thèse. Il est tout de même permis de présenter d'abord sa thèse et d'ajouter ensuite les idées dont on la fera découler. Quel que soit l'ordre de présentation choisi, on indiquera soigneusement le lien logique entre les idées, par un choix approprié des marqueurs de relation.

DES PRÉMISSES À LA CONCLUSION

En poussant un peu plus l'analyse, on distinguera, dans un raisonnement, des prémisses (ou propositions), dont découle une conclusion. Ainsi, le raisonnement sur le mensonge se compose, comme tout raisonnement déductif, de deux prémisses. Certes, une seule était exprimée : « Le mensonge détruit la confiance entre les humains. » Mais, pour que la déduction fonctionne, il faut qu'il y en ait une autre : « Tout ce qui détruit la confiance entre les humains est mauvais. » Même si elle est restée sous-entendue, cette prémisse fait bel et bien partie du raisonnement, car, sans elle, on serait dans l'impossibilité de conclure. On ne dirait pas « cela détruit la confiance, donc cela est mauvais » si l'on ne pensait pas que « tout ce qui détruit la confiance est mauvais ».

De ces deux prémisses, l'une est de portée plus générale : « tout ce qui détruit la confiance entre les humains est mauvais » ; l'autre prémisse permet de pointer vers une application : « Tout mensonge détruit la confiance entre les humains. » Celle qui est plus générale, on l'appelle la prémisse majeure, et celle qui pointe vers un sujet plus précis (comme, ici, le mensonge), on l'appelle la prémisse mineure.

Prémisse majeure (souvent sous-entendue)	*Tout ce qui détruit la confiance est mauvais.*
Prémisse mineure (pointant vers une application)	*Le mensonge détruit la confiance.*
Conclusion	*Donc le mensonge est mauvais.*

Reconnaître l'existence de ces deux prémisses dans chacun des arguments qu'on produit est utile pour prendre conscience des présupposés qu'ils impliquent. Cela aide à évaluer la pertinence des arguments construits à partir de ceux-ci et peut suggérer des pistes de développement des idées. Toutefois, quand vient le moment de rédiger, mieux vaut ne pas alourdir son texte, comme il arrivera si l'on cherche à tout expliciter. On a généralement intérêt à laisser sous-entendue la prémisse à portée plus générale (la majeure).

UN NOUVEAU LIEN ENTRE LES TERMES

Ultimement, on remonte, dans l'analyse du raisonnement, à des termes. Un terme, c'est ce qui entre, soit comme
sujet, soit comme prédicat[1], dans les prémisses ou dans la
conclusion d'un raisonnement. Ainsi, dans le raisonnement
sur le mensonge, on trouve, comme dans tout raisonnement
déductif, trois termes : « le mensonge », « mauvais » et « détruit
la confiance entre les humains ». Les deux premiers sont ceux
qu'on relie dans la conclusion : « Le mensonge est mauvais. »
L'autre terme ne fait pas partie de la conclusion, mais a plutôt
servi à l'établir. S'il a pu jouer ce rôle, c'est qu'on connaît
déjà le lien qu'il entretient avec chacun des deux autres : le
mensonge, on le sait, détruit la confiance entre les humains ;
et ce qui détruit la confiance entre les humains – on le sait
aussi – est mauvais.

*Tout ce qui **détruit la confiance***	*est mauvais.*
Le mensonge	***détruit la confiance.***
*Le **mensonge***	*est **mauvais.***
(sujet de la conclusion)	(prédicat de la conclusion)

Dans toute déduction, il y a ainsi un terme qui renvoie
à une notion qui n'entre pas dans la conclusion, mais qui
est commune à chacune des deux prémisses. Ce terme, on
l'appelle le moyen terme. Il constitue le cœur du raisonnement. Trouver un raisonnement, ce n'est rien d'autre, au
fond, que de trouver un moyen terme. Une fois celui-ci
trouvé, le lien entre les deux autres – ou la façon de les
« enfermer ensemble » (c'est le sens premier du verbe latin

---

1.   Sujet et prédicat sont les deux parties qui constituent une énonciation. Dans toute
       énonciation, on dit quelque chose à propos de quelque chose. Par exemple, dans
       l'énonciation « Le mensonge détruit la confiance », on dit, à propos du *mensonge*,
       qu'il *détruit la confiance*. « Le mensonge » est le sujet de cette énonciation (c'est ce
       à propos de quoi on dit quelque chose), tandis que « [ce qui] détruit la confiance »
       en est le prédicat (c'est ce qui est dit à propos du sujet).

concludere) – devient aussitôt manifeste. Car si, pour reprendre notre exemple, « mauvais » se dit de tout « ce qui détruit la confiance entre les humains » et que « détruire la confiance » se dit à son tour de tout « mensonge », il en résulte nécessairement que « mauvais » se dira de tout « mensonge ».

Rapports entre les termes	Prémisses qui expriment chacun de ces rapports
Mauvais	Tout ce qui détruit la confiance est mauvais.
Détruit la confiance	
	Le mensonge détruit la confiance.
Le mensonge	

Au départ, ce pouvait être un problème : tout mensonge est-il mauvais, ou non ? Comment s'assurer du fait que l'un (le mensonge) est inclus dans l'autre (mauvais), plutôt que d'en être exclu ? Avec un moyen terme approprié, le problème se résout. Si le mensonge est inclus dans ce qui détruit la confiance entre les humains et que ce terme est à son tour inclus dans ce qui est mauvais, le mensonge fera nécessairement partie de ce qui est mauvais. À condition, bien sûr, qu'on puisse être certain de la vérité des prémisses.

Si une des prémisses suscite elle-même quelque doute, on pourra l'appuyer par un raisonnement antérieur. Par exemple, pour établir que « tout ce qui détruit la confiance entre les humains est mauvais », on pourra faire valoir que « tout ce qui détruit la confiance entre les humains fait obstacle à la vie en société ». Ce faisant, on a trouvé un nouvel intermédiaire, en l'occurrence le moyen terme « fait obstacle à la vie en société », entre la notion de destruction de la confiance et celle de mal.

Argument antérieur :	*Tout ce qui **fait obstacle à la vie en société** est mauvais.*
Argument principal :	*Tout ce qui détruit la confiance **fait obstacle à la vie en société**.*
	Donc tout ce détruit la confiance est mauvais.
	*Tout ce **détruit la confiance** est mauvais.*
	*Le mensonge **détruit la confiance**.*
	Donc le mensonge est mauvais.

Cette analyse du raisonnement poussée jusqu'à ses éléments ultimes (les termes) permet de mieux comprendre le rôle de chacune des prémisses. À quoi sert, en effet, la prémisse majeure d'un raisonnement, si ce n'est à formuler le lien entre le moyen terme et le prédicat de la conclusion (qu'on appelle le grand terme) : « tout ce qui détruit la confiance entre les humains (moyen terme) est mauvais (grand terme) » ? Et à quoi sert la prémisse mineure, si ce n'est à formuler le lien entre le moyen terme et le sujet de la conclusion (qu'on appelle le petit terme) : « tout mensonge (petit terme) détruit la confiance entre les humains (moyen terme) » ?

	(moyen terme) (grand terme)
Prémisse majeure	*Tout ce **détruit la confiance** est mauvais.*
	(petit terme) (moyen terme)
Prémisse mineure	*Le mensonge **détruit la confiance**.*
Conclusion	*Donc le mensonge est mauvais.*

Quand on rédige, il suffit habituellement de présenter, pour chaque argument, le moyen terme qu'on a trouvé en le connectant au sujet de la conclusion. C'est ce qu'on fait en formulant sa prémisse mineure (« Le mensonge détruit la confiance entre les humains »). Il n'est généralement pas nécessaire de formuler la majeure (« tout ce qui détruit… est mauvais »), car il est entendu que, pour tirer la conclusion, il faut absolument admettre que le moyen terme («ce qui détruit la confiance entre les humains») se relie aussi au prédicat de cette conclusion («mauvais»). Au fond, il suffit de faire connaître les trois termes – et, pour ce faire, formuler la conclusion et une des prémisses suffit – pour que notre argument puisse être compris.

UN PREMIER CRITÈRE DE VALIDITÉ : SE FONDER SUR DES PRÉMISSES ACCEPTABLES

Pour qu'un texte argumentatif contienne de bons arguments, il y a deux aspects à considérer : il faut que ces arguments se fondent sur des prémisses acceptables et que les idées qu'elles comportent soient reliées correctement.

En effet, on doit s'assurer que nos raisonnements partent de propositions vraies ou d'opinions crédibles. Ces idées ou opinions, on n'est pas les seuls à les avoir. On vit en société, où les idées sont faites pour être partagées. Il est d'ailleurs probable que la plupart des idées d'une personne lui viennent de l'influence de la société. On les a reçues de ses parents, de ses professeurs, d'amis, de gens entendus à la radio ou à la télévision, de propos lus dans des journaux, des revues ou des livres. Cela n'empêche pas, surtout si on a été initié à la philosophie, d'en examiner quelques-unes, ou d'avoir quelques idées qu'on a au moins en partie forgées par soi-même, à la lumière de ses propres expériences. Il reste qu'il est impossible d'élaborer des idées en dehors de toute influence sociale. Ainsi, quand on écrit un texte argumentatif, on s'adresse à un lecteur. En pratique, ce lecteur se limitera peut-être au professeur, mais, puisque cet exercice d'écriture vise à préparer l'expression de la pensée dans un contexte plus large, où l'on s'adresse à tout un public, il faut déjà écrire comme si l'on s'adressait à l'ensemble de ses contemporains. Il faut, en prenant connaissance des arguments, que ces derniers soient amenés à adhérer à la conclusion qu'on leur propose. Pour y arriver, il faudra faire attention aux prémisses utilisées.

Puisqu'on sera rarement en mesure d'utiliser des principes absolument certains et évidents, il faudra bien partir d'opinions, de points de vue dont la vérité n'est pas d'une évidence parfaite. Là aussi, il y a des degrés. Certaines idées ou opinions font l'unanimité : tout le monde les tient pour vraies. D'autres idées encore, sans faire tout à fait l'unanimité, sont acceptées par la plupart des gens. D'autres encore correspondent au point de vue des experts, des savants, des gens réputés compétents sur ces questions. Si tous, ou, à défaut, la plupart ou les plus renommés de ces spécialistes s'entendent, on pourra se réclamer de ce point de vue pour ses arguments, à condition qu'il ne contredise pas les opinions les plus communément partagées. Bref, pour qu'une prémisse soit crédible, à ses propres yeux d'abord et aux yeux de ses interlocuteurs ou lecteurs potentiels ensuite, il faudra qu'elle ait des répondants de poids, soit par le nombre, soit par la qualité.

Pour que la conclusion puisse être partagée par ses lecteurs, il faudra la tirer de principes déjà partagés par eux. Bien sûr, quand on écrit, ils ne sont pas là pour dire s'ils les acceptent ou non, comme ce serait le cas dans une discussion orale. Il faut cependant utiliser des idées ou des opinions qui soient telles que, si l'on interrogeait les gens à leur sujet, on obtiendrait leur accord. À l'inverse, une idée dont on pourrait prévoir qu'elle ne serait pas concédée ne devrait pas être utilisée comme prémisse.

Quand on raisonnera à partir de tels principes, on obtiendra une conclusion d'autant plus fiable qu'elle procédera de prémisses plus acceptables, de prémisses dont on peut prévoir qu'elles seraient plus généralement acceptées. À l'inverse, on ne pourra absolument pas se fier à des conclusions qui découleraient de principes que personne n'admettrait, ou de principes qui ressemblent à ceux qui sont admis, mais selon une fausse apparence (par exemple, parce qu'on joue sur les mots, de façon à faire passer une idée qui n'a rien d'acceptable pour une idée acceptable, comme se plaisent à le faire les sophistes).

UN DEUXIÈME CRITÈRE DE VALIDITÉ : DES IDÉES BIEN RELIÉES

Par ailleurs, on aurait beau partir des meilleures idées au monde, si on ne les relie pas correctement, on raisonnera mal. Un raisonnement ne sera parfaitement rigoureux que si sa conclusion découle nécessairement des prémisses posées. Un tel raisonnement a un effet très contraignant : celui qui en accepte les prémisses comme vraies est obligé d'accepter la vérité de la conclusion qui en découle.

Un tel effet sur l'esprit du lecteur ne s'obtient cependant pas en combinant de n'importe quelle façon des prémisses et des termes. Il y a des règles à respecter[2]. Si nos raisonnements ne s'y conforment pas, ils ne seront pas formellement valides. Par exemple, si je me demande si la philosophie est ou non une science, je n'aboutirai à rien de très concluant en combinant les deux prémisses suivantes : la science ne peut répondre à toutes les questions, or la philosophie ne peut non plus répondre à toutes les questions. Même si elles sont tout à fait vraies, je ne peux, à partir de telles prémisses, ni conclure que la philosophie est une science ni qu'elle n'en est pas une. C'est une question de rapports entre les termes : aucun lien nouveau ne découle nécessairement de ce qui a été posé.

Avant tout, il faut garder à l'esprit qu'un raisonnement fait passer du connu à l'inconnu : une conclusion dont on

---

2. Pour les connaître avec précision, il faut se référer à un bon manuel de logique. Voir, par exemple, Victor Thibaudeau, *Principes de logique*, Québec, collection Zêtêsis, Les Presses de l'Université Laval, 2006, p. 719 à 755.

ne sait pas d'abord si elle est vraie ou non est manifestée en s'appuyant sur des prémisses déjà connues comme vraies. Il faudra donc absolument amener, dans nos raisonnements, des idées autres que celle qu'il s'agit de conclure. Si l'on dit, par exemple, « la réflexion contribue au bonheur, puisque réfléchir rend heureux », ce ne sera pas un véritable raisonnement, mais une pétition de principe, c'est-à-dire une demande d'accorder ce qui, au départ, devait plutôt être prouvé : on ne fait que reprendre l'idée à conclure sous d'autres mots, de sorte que c'est comme si l'on réclamait de notre lecteur qu'il concède déjà, d'entrée de jeu, ce qu'on était censé lui rendre manifeste par le raisonnement. Comme si, par exemple, pour « prouver » que ceux qui mangent beaucoup de légumes auront plus de chances de vivre longtemps, on faisait valoir qu'ils auront une plus grande espérance de vie.

Tableau du raisonnement et de ses parties

	Un raisonnement se compose de...	Et aboutit à...
Premier niveau d'analyse	Un antécédent	Un conséquent (ce qui s'ensuit de l'antécédent)
Deuxième niveau d'analyse	Deux prémisses : la prémisse majeure la prémisse mineure	Un conséquent ou une conclusion (ce qui découle des prémisses posées)
Ultime niveau d'analyse	Trois termes : Le grand terme Le moyen terme Le petit terme	Une conclusion (le rapport résultant entre deux termes) (ou, d'après l'étymologie, la façon d'« enfermer ensemble » ces deux termes)

Tableau des termes et de leur définition

	Définition	Exemple
Grand terme	Terme qui correspond au prédicat de la conclusion.	«Mauvais» dans le raisonnement qui conclut que «le mensonge est mauvais».
Moyen terme	Terme qui relie les deux autres.	«Détruit la confiance entre les humains» dans le raisonnement qui conclut que «le mensonge est mauvais».
Petit terme	Terme qui correspond au sujet de la conclusion.	«Le mensonge» dans le raisonnement qui conclut que «le mensonge est mauvais».

QUESTIONS

1. Dans un texte *argumentatif*, que faut-il faire de plus important? Et en quoi cela consiste-t-il?

2. En quel sens un raisonnement serait-il quelque chose de contraignant?

3. Quel est l'intérêt de savoir analyser ses raisonnements?

Vrai ou faux?

1. Un raisonnement sert à justifier une thèse.

2. Argumenter, c'est trouver des raisons de penser que ce que l'on dit est vrai.

3. Dans un texte, l'antécédent doit toujours être exprimé en premier.

4. Un raisonnement déductif se compose ultimement de trois termes.

5. Chaque prémisse d'un raisonnement exprime un lien entre deux termes.

6. Dans le discours parlé ou écrit, on sous-entend souvent une des prémisses du raisonnement qu'on propose.

EXERCICE SUR LE RAISONNEMENT ET SES PARTIES

I- En comparant les deux énonciations suivantes, distinguez celle qui pourrait servir d'antécédent et celle qui pourrait servir de conséquent d'un raisonnement. Ne vous préoccupez pas, pour l'instant, de la prémisse sous-entendue. Formulez ce raisonnement en faisant une utilisation appropriée des marqueurs de relation, une première fois en vous servant des deux phrases dans l'ordre où elles se présentent, une deuxième fois en inversant cet ordre. Dans vos formulations, utilisez chaque fois un marqueur de relation différent, de façon, au terme de l'exercice, à ce que tous les marqueurs de la liste ci-dessous aient été utilisés.

Marqueurs de relation :

Donc, par conséquent, c'est pourquoi, ainsi, en conséquence, par le fait même ;

Car, en effet, puisque, étant donné que, parce que, vu que.

Exemple :

L'argent n'est qu'un instrument. L'argent ne fait pas le bonheur.

Réponse :

L'argent n'est qu'un instrument, donc il ne fait pas le bonheur.

L'argent ne fait pas le bonheur, car il n'est qu'un instrument.

À votre tour maintenant!

1. La science ne peut avoir réponse à toutes les questions. La science ne pose que les questions auxquelles sa méthode lui permet de répondre.

2. La philosophie est importante. Toute discipline qui soulève des questions fondamentales est importante.

3. L'activité philosophique se déroule en dehors du courant ordinaire de la vie. L'activité philosophique n'est pas une activité comme les autres.

4. La religion est dans l'impossibilité de donner l'évidence de ce qu'elle propose. La religion doit faire appel à la foi.

5. Une religion n'est jamais simplement affaire de connaissances. Une religion comporte toujours des rites, des pratiques, un culte.

6. Les connaissances scientifiques se prêtent à des applications technologiques. Tout ce qui porte sur des aspects mesurables des réalités naturelles se prête à des applications technologiques.

II- Repérez les trois termes dont se compose chacun de ces arguments.

Exemple:

L'argent ne fait pas le bonheur, car il n'est qu'un instrument.

Réponse:

Les termes sont:

      l'argent (petit terme),

      seulement un instrument (moyen terme),

      faire le bonheur (grand terme).

À votre tour maintenant!

1.

2.

3.

4.

5.

6.

III Trouvez la prémisse sous-entendue dans chacun des antécédents ci-dessus. Précisez, dans chaque cas, s'il s'agit de la majeure (principe général) ou de la mineure (prémisse dont un des termes se retrouve comme sujet dans la conclusion).

Exemple:

Dans l'antécédent « L'argent n'est qu'un instrument », la prémisse sous-entendue est « Ce qui n'est qu'un instrument ne fait pas le bonheur ». C'est la prémisse majeure de l'argument.

À votre tour maintenant!

1. Dans l'antécédent du nº 1, la prémisse sous-entendue est…

2. Dans l'antécédent du nº 2, la prémisse sous-entendue est…

3. Dans l'antécédent du nº 3, la prémisse sous-entendue est…

4. Dans l'antécédent du nº 4, la prémisse sous-entendue est…

5. Dans l'antécédent du nº 5, la prémisse sous-entendue est…

6. Dans l'antécédent du nº 6, la prémisse sous-entendue est…

IV- Formulez un argument à l'appui des conclusions données, à l'aide du moyen terme indiqué. Exprimez-vous de façon concise, en ne formulant qu'une seule prémisse.

Exemple:

Conclusion: «Les plantes ne sont pas des animaux.» Moyen terme: avoir des sensations.

Réponse:

Les plantes ne sont pas des animaux, car elles n'ont pas de sensations.

À votre tour maintenant!

1. Conclusion: Le discours philosophique n'est pas mythique. Moyen terme: discours rationnel.

2. Conclusion: La recherche de la vérité pour elle-même n'est pas pratique. Moyen terme: viser une action ou la production d'une œuvre.

3. Conclusion: La science expérimentale laisse de côté plusieurs aspects du réel. Moyen terme: s'intéresser seulement à l'aspect mesurable.

4. Conclusion: La vérité mérite d'être recherchée pour elle-même. Moyen terme: le bien de l'intelligence.

5. Les explications mythologiques ne sont pas rationnelles. Moyen terme: faire appel à des causes sans proportion avec les effets expliqués.

V- Analysez chacun des arguments que vous avez produits au numéro précédent, en indiquant leur majeure, leur mineure et leur conclusion.

Exemple:

Réponse:

Les animaux ont des sensations (majeure).

Les plantes n'ont pas de sensations (mineure).

Les plantes ne sont pas des animaux (conclusion).

À votre tour maintenant!

1.

2.

3.

4.

5.

VI- Formulez un argument à l'appui des conclusions données. Indiquez le moyen terme que vous avez utilisé.

Exemple:

Le soleil est indispensable à la vie sur terre.

Réponse:

Le soleil est indispensable à la vie sur terre, car il apporte la lumière et la chaleur sans lesquelles la vie ne pourrait se maintenir.

Moyen terme: apporter la lumière et la chaleur sans lesquelles la vie ne pourrait se maintenir.

À votre tour maintenant!

1. Faire de l'exercice est important.

2. Il faut faire attention à ce que l'on dit.

3. Il est important d'avoir une bonne estime de soi.

4. Il n'est pas facile d'atteindre la sagesse.

5. L'écriture est une bonne invention.

6. L'ignorance de son ignorance est la pire des ignorances.

VII- Dites si chacun des paragraphes suivants contient un véritable raisonnement ou une pétition de principe, c'est-à-dire une reformulation de la conclusion déguisée en principe de raisonnement.

1. La vérité ne se juge pas par l'autorité d'autrui, car on ne porte pas de jugement à savoir si quelque chose

est vrai simplement en se fiant à l'autorité de quelqu'un qui dit que c'est vrai.

2. Tout enseignement donné ou reçu par la voie du raisonnement vient d'une connaissance préexistante. En effet, au principe de tout ce qu'une personne peut enseigner ou se faire enseigner, il y a toujours une connaissance qui préexiste à cet enseignement.

3. Tout relatif se dit par rapport à un corrélatif. En effet, le maître, on le dit maître du serviteur, et le serviteur, serviteur de son maître ; le double, on le dit double de la moitié, et la moitié, moitié du double.

4. C'est l'induction qui nous fait connaître les principes, car c'est de cette façon que la sensation produit en nous l'universel.

VIII- Dites si les raisonnements suivants sont fiables, à en juger par la qualité de leurs prémisses : s'agit-il de principes généralement acceptés, de principes que personne n'admettrait, ou de principes qui ressemblent à ceux qui sont admis, mais selon une fausse apparence ?

Exemple :

Un parent doit chercher à être le meilleur ami de son enfant, car l'enfant doit avoir des amis beaucoup plus âgés que lui.

Réponse :

Ce raisonnement n'est pas fiable, à peu près personne ne concéderait la prémisse sur laquelle il se fonde ; au contraire, on pense plutôt, généralement, qu'un enfant doit avoir des amis de son âge.

À votre tour maintenant !

1. Un parent ne doit pas chercher à être le meilleur ami de son enfant, car, pour se faire écouter de son

enfant, le parent ne doit pas se comporter comme s'il était en tous points son égal.

2. Certains disent que l'étude de la philosophie est très profitable. C'est faux ! Il n'y a aucun profit à tirer de l'étude de la philosophie, puisqu'une telle étude est tout à fait désintéressée et que rien de ce qui est désintéressé ne procure de profit.

3. Dans la vie, il faut avoir une totale confiance en soi-même et ne pas trop faire confiance aux autres, car la confiance en soi favorise davantage l'autonomie et ce qui favorise davantage l'autonomie est meilleur, tandis que la confiance aux autres amène l'hétéronomie, la dépendance, ce qui est moins bon.

4. Certains prétendent que les animaux ne sont pas libres. C'est tout à fait faux ! La preuve, c'est que tous les animaux sauvages sont en liberté, il n'y a que ceux qui ont été capturés pour être gardés en captivité qui ne sont pas libres.

5. J'entends par injustice tout ce qui ne plaît pas à la plupart des gens. Or Socrate, en remettant en question les capacités de certains dans leur domaine, a fait quelque chose qui déplaisait à beaucoup de gens. J'en conclus que Socrate a commis l'injustice.

6. Les êtres humains ont la capacité de se tromper, donc ils doivent faire attention à ce qu'ils font et acquérir un certain savoir-vivre afin de réussir.

7. On ne peut atteindre la plénitude qu'en raisonnant sur les vertus qui nous importent et sur les désirs qui nous animent. Or, la philosophie consiste à raisonner sur les vertus qui nous importent et sur les désirs qui nous animent. On ne peut donc atteindre la plénitude qu'en faisant de la philosophie.

8. On peut se dispenser de croire puisqu'aucun animal ne croit en quelque chose et que les humains sont des animaux.

9. Le manque de connaissances des prisonniers de la caverne de Platon n'est pas un mal, car il n'abaisse pas leur niveau de vie par rapport à leur société.

Les sortes de raisonnement

Une certaine connaissance des possibilités qui s'offrent à l'esprit humain en ce qui concerne l'argumentation constitue un aspect non négligeable de la préparation à l'écriture d'un texte argumentatif. On sera d'autant mieux préparé qu'on aura appris à exercer l'activité de raisonner dans toute son ampleur. Pour y parvenir, il faut comprendre que les raisonnements ne sont pas tous de même sorte. Certes, à la base, raisonner, c'est toujours aller du connu à l'inconnu, c'est s'appuyer sur ce qu'on connaît déjà pour en tirer une connaissance nouvelle. Cette activité de la raison permet de rendre manifeste un énoncé en le présentant comme la conséquence (ou conclusion) d'autres énoncés déjà manifestes.

DE L'UNIVERSEL AU PARTICULIER

Il y a cependant plusieurs façons de passer du connu à l'inconnu. Parfois, le plus connu, c'est un principe universel duquel l'intelligence pourra dégager une application. On parle alors de raisonnement déductif, aussi appelé déduction, ou syllogisme. Tous les raisonnements de l'exercice précédent étaient de ce type.

DU PARTICULIER À L'UNIVERSEL

Parfois, aussi, le plus connu, c'est ce dont on a directement l'expérience : les cas particuliers que nos sens nous font connaître. En s'appuyant sur une énumération de cas particuliers semblables, l'intelligence pourra «induire», c'est-à-dire être conduite à l'universel qui s'en dégage. On parle alors de raisonnement inductif, ou d'induction. Un tel raisonnement, grâce auquel s'effectue un passage du particulier à l'universel, est pour ainsi dire l'inverse de la déduction, qui, elle, fait plutôt passer de l'universel au particulier. Par exemple, en m'appuyant sur le fait que celui qui sait pêcher est le plus habile à se procurer du poisson, que celui qui sait chasser est le plus habile à se procurer du gibier et que celui qui sait cultiver est le plus habile à se procurer des légumes, des fruits ou des céréales, etc., je peux conclure, par induction, que dans tous les domaines, c'est celui qui sait qui est le plus habile.

DU SEMBLABLE AU SEMBLABLE

Parfois encore, pour manifester une vérité, l'intelligence pourra s'appuyer sur une ressemblance entre le cas qui l'intéresse et un autre cas. On parle alors de raisonnement par analogie. Cet autre cas semblable est le plus connu ; en s'appuyant dessus, l'intelligence procède du semblable au semblable. Par exemple, à partir du fait que le corps a besoin d'aliments pour entretenir la vie corporelle, j'en conclurai que, de même, l'intelligence a besoin de connaissances pour entretenir la vie intellectuelle. C'est au moyen d'une comparaison – comme, ici, entre la vie corporelle et la vie intellectuelle – que s'effectue le raisonnement.

COMMENT LES DISTINGUER ?

Pour découvrir à quelle sorte de raisonnement on a affaire, on ne peut pas se fier aux marqueurs de relation. Ces derniers ne font – du moins ceux qui marquent une conséquence ou une cause – qu'indiquer la présence d'un raisonnement, de quelque sorte qu'il soit, et permettent de distinguer l'antécédent du conséquent. Ce qu'il faut se demander, c'est sur quoi on s'appuie en présentant un tel antécédent : sur un principe général (même si ce dernier peut être sous-entendu ; dans ce cas, la prémisse exprimée pointe plutôt vers une de ses applications) ou sur une énumération de cas particuliers semblables ? C'est ce qui fera la différence entre une déduction et une induction. Pour ce qui est du raisonnement par analogie, on le reconnaît habituellement par les mots « de même que…, de même… » (ou l'équivalent), le « de même que » servant à présenter le cas semblable plus connu, le « de même » servant à présenter la conclusion sur le cas analogue.

Tableau des sortes de raisonnements

	Façon de passer du connu à l'inconnu	Exemple
Déduction	D'un principe universel à son application (à un sujet plus particulier).	De « Tout ce qui détruit la confiance… est mauvais » À « Le mensonge est mauvais ».
Induction	De plusieurs cas particuliers semblables à l'universel.	De « Celui qui sait pêcher…, chasser…, cultiver… » À « Quiconque sait est plus habile ».
Raisonnement par analogie	D'un cas à un autre cas semblable.	De « Le corps a besoin d'aliments » À « De même l'intelligence a besoin de connaissances ».

QUESTIONS

1. En quoi le mouvement de la pensée dans une induction peut-il être considéré comme l'inverse de celui de la déduction ?

2. Il est question de cas semblables dans l'induction et il est aussi question de semblable dans le raisonnement par analogie. Quelle est la différence ?

Vrai ou faux ?

1. Dans toutes les formes de raisonnement, on s'appuie sur un principe universel.

2. L'induction est un passage du particulier à l'universel.

3. La conclusion d'une induction est toujours universelle.

4. Pour faire une déduction, il faut toujours s'appuyer sur un principe universel.

5. Une induction est toujours basée sur une énumération de cas particuliers semblables.

6. Un raisonnement par analogie procède toujours du semblable au semblable.

7. Dans un texte argumentatif, on peut utiliser toutes les sortes de raisonnements.

EXERCICE SUR LES SORTES DE RAISONNEMENT

I- En étant attentif à la présence ou à l'absence d'ordre logique – celui qui, quel que soit l'ordre de présentation, va de l'antécédent au conséquent – entre les énoncés qui composent chacun des paragraphes ci-dessous, dites si ces paragraphes contiennent ou non un raisonnement. Dans le cas où un raisonnement est présent, précisez s'il s'agit d'une déduction, d'une induction ou d'un raisonnement par analogie et justifiez votre réponse en montrant comment s'effectue le mouvement de la raison de l'antécédent vers le conséquent : passe-t-on de l'universel au particulier, du particulier au général, ou d'un semblable à un autre ?

Avant de vous prononcer sur ce point, vérifiez attentivement si l'ordre de présentation des énoncés, à l'intérieur de chaque paragraphe, correspond ou non à l'ordre logique, car c'est d'après cet ordre logique que vous devez juger de la nature du raisonnement effectué.

Exemple :

Le mensonge est mauvais, car tout ce qui détruit la confiance entre les humains est mauvais.

Réponse :

Il y a un ordre logique (inverse, ici, de l'ordre de présentation) qui va de l'antécédent, « Tout ce qui détruit la confiance entre les humains est mauvais », au conséquent, « Le mensonge est mauvais. » C'est une déduction, car le mouvement de la raison s'effectue de l'universel (tout ce qui détruit la confiance) au particulier (le mensonge, qui est une partie de ce qui détruit la confiance).

À votre tour maintenant !

1. Tous ceux qui mentent ont l'intention de tromper, donc les plaisanteries ne sont pas des mensonges.

2. Pierre a menti à Paul et Pierre avait l'intention de tromper Paul ; Marie a menti à Sophie et avait l'intention de tromper Sophie ; Marc a menti à Julie et avait l'intention de tromper Julie. Et de même dans tous les autres cas. Donc, tous les menteurs ont l'intention de tromper.

3. De même que voler n'est pas un bon moyen de venir en aide à quelqu'un de démuni, de même mentir n'est pas un bon moyen d'aider quelqu'un à se tirer d'affaire.

4. Toutes les vertus morales consistent dans un juste milieu. En effet, le courage consiste à garder le juste milieu entre l'excès de crainte et le manque de crainte, la modération à garder le juste milieu entre la recherche effrénée des plaisirs et l'insensibilité face aux plaisirs, la libéralité consiste à garder le juste milieu entre l'excès (prodigalité) et le manque (avarice) dans les dons, etc.

5. Toutes les vertus morales consistent dans un juste milieu, tandis que les vices, eux, consistent à aller aux extrêmes, soit par excès, soit par défaut.

6. L'excès d'exercice, tout autant que le manque d'exercice, détruit la vigueur corporelle. De même, en rapport avec les passions, l'excès, tout autant que le manque, détruit la vertu morale.

7. Les vertus ne sont pas en nous par nature. En effet, rien de ce qui est par nature ne peut être modifié sous l'effet des habitudes.

8. Rien de ce qui est par nature ne peut être modifié sous l'effet des habitudes : on ne peut pas habituer une pierre à aller vers le haut en la lançant en l'air plusieurs fois, on ne peut pas habituer une plante à pousser plus vite en tirant dessus régulièrement, ou à déployer ses racines dans l'air en les dirigeant vers le haut, ou ses feuilles dans la terre en faisant ployer ses branches vers le sol.

9. Les habitudes des gens sont nombreuses et variées. On ne peut cependant pas dire qu'elles soient toutes bonnes.

II- Trouvez une induction pour appuyer les conclusions données :

1. Tous les vices sont contraires à la raison. (Exemples de vices : la lâcheté, l'ivrognerie, la débauche…)

2. Les sens ne peuvent s'exercer qu'en présence de leur objet.

3. Aucune religion n'est dépourvue de rites.

4. Toutes les formes de récits comportent des personnages en action.

5. Tous les organes du corps ont une fonction.

III- Formulez correctement le raisonnement par analogie à l'appui des conclusions données, en vous basant sur la ressemblance avec la chose indiquée entre crochets :

1. Nul ne peut enseigner ce qu'il ignore. [Donner]

2. Pour progresser dans les vertus, il faut pratiquer. [Acquérir un art]

3. Pour progresser, l'intelligence humaine a besoin de s'appuyer, à chaque étape, sur un point d'appui ferme : le déjà connu. [Marcher]

4. C'est en considérant les gestes qu'une personne fait qu'on peut s'assurer qu'elle possède vraiment des qualités. [Les fruits d'un arbre]

5. C'est en visant le juste milieu et en évitant les extrêmes qu'on se conduit le mieux. [La meilleure façon de s'entraîner physiquement]

IV- Trouvez un raisonnement pour appuyer chacune des conclusions ci-dessous et précisez s'il s'agit d'une déduction, d'une induction ou d'un raisonnement par analogie :

1. Tout ce qui est rare coûte cher.

2. Faire ce qui convient est plus difficile que de passer à côté.

3. On ne peut pas donner ce qu'on n'a pas.

4. Les actes qui sont conformes à notre nature, nous les posons avec plaisir.

5. Pour que notre esprit devienne habile à raisonner, il faut s'entraîner à faire des raisonnements.

L'objection et la réfutation

D ans un texte argumentatif, il ne suffit pas de trouver de bons arguments en faveur de sa thèse. Il nous est aussi demandé de présenter une objection et une réfutation. Ce qu'on appelle «objection», ici, c'est, on l'a vu, un contre-argument, un argument qui s'oppose à la thèse, soit parce qu'il l'attaque directement, soit parce qu'il conteste une des prémisses qui appuie la thèse. On appelle par ailleurs «réfutation» l'argument par lequel on répond à l'objection, pour ainsi contrer ce qui s'opposait à la thèse. Il convient maintenant d'approfondir.

L'OBJECTION

Quand on discute avec quelqu'un de vive voix, il faut s'attendre à ce que ce soit l'interlocuteur qui soulève des objections contre le point de vue ou les idées avancées pour le défendre. Mais, dans un texte argumentatif, c'est à l'auteur de prévoir l'objection (ou les objections) qu'on pourrait lui faire. Si on le fait sérieusement, cela contribuera grandement à enrichir la réflexion, car l'objection qui semblait au départ faire obstacle à la pensée sera finalement l'occasion, en obligeant la réplique, de préciser cette pensée, de la nuancer. En outre, le fait d'avoir soulevé une objection fera que le texte gagnera beaucoup en crédibilité : un auteur qui a le courage et l'honnêteté intellectuelle de regarder les deux côtés de la médaille inspire bien davantage confiance que celui qui ne regarde que ce qui appuie son propre point de vue.

Un argument reçoit le nom d'objection quand il est utilisé dans un contexte d'opposition. Si l'objection est bien faite, la conclusion de cet argument sera du même coup la contradiction soit de la thèse, soit d'une prémisse appuyant la thèse. Par exemple, si la thèse était que

> « *Mentir est mauvais*, car cet acte détruit la confiance entre les humains »,

l'argument

> « *mentir n'est pas toujours mauvais*, car cet acte permet de ne pas révéler une vérité qui pourrait faire mal à celui qui n'est pas disposé à l'entendre »

est une objection en ce sens que ce qu'il conclut est un énoncé qui contredit la thèse.

Par ailleurs, l'argument

> « mentir ne détruit pas nécessairement la confiance entre les humains, car ceux à qui l'on ment ne s'en rendent pas toujours compte et continuent donc de faire confiance »

est une objection en ce sens que ce qu'il conclut est un énoncé qui contredit la prémisse mineure qui appuyait la thèse.

Et si par ailleurs on objectait que

> « ce qui détruit la confiance entre les humains n'est pas nécessairement mauvais, parce que la confiance n'est pas toujours un bien »,

on aurait dans ce cas un argument qui contredit la majeure du syllogisme qui appuyait la thèse.

L'objection qui attaque directement la thèse

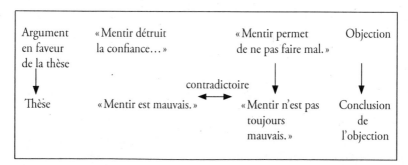

L'objection qui attaque la mineure appuyant la thèse

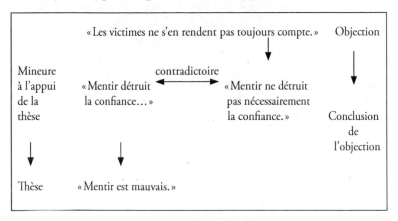

L'objection qui attaque la majeure appuyant la thèse

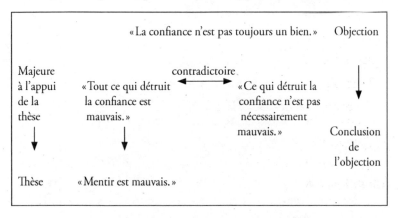

Dans ces exemples, tant l'argument qui appuyait la thèse que l'objection elle-même étaient des syllogismes, des raisonnements déductifs. Il est cependant à remarquer que ce n'est pas nécessairement toujours le cas. N'importe quelle sorte de raisonnement peut servir à appuyer la thèse et n'importe quelle sorte de raisonnement peut être utilisée pour attaquer, directement ou indirectement, cette thèse. Par exemple, on pourrait s'objecter à la thèse sur la malice du mensonge en recourant à un raisonnement par analogie:

> Prétendre que mentir est toujours mauvais, ce serait comme dire que le camouflage est toujours mauvais ; or ce n'est pas vrai, car beaucoup d'animaux assurent leur survie en trompant leurs prédateurs par les fausses apparences qu'ils leur présentent.

On pourrait aussi le faire en ayant recours à une induction (même si, dans cet exemple, le caractère universel de la conclusion semble très contestable !).

> Cacher la vérité pour sauver la vie de quelqu'un, pour épargner à quelqu'un une vérité qui le ferait souffrir, pour se tirer d'un faux pas, etc., est mentir, or tous ces actes sont bons, donc mentir est toujours un acte qui vise un bien.

LA RÉFUTATION

Pour ce qui est de la réfutation, elle aussi devra consister en un argument utilisé en contexte d'attaque ou d'opposition, mais, cette fois, c'est l'objection qu'on vient de rapporter qu'il s'agit de contrer. Or, on l'a vu, cette objection peut avoir été faite de deux façons : par un argument qui contredit directement la thèse ou par un argument qui contredit une des prémisses appuyant la thèse.

Considérons les implications quand vient le temps de réfuter. Dans le cas où l'objection contredisait directement la thèse, contredire la conclusion de l'objection reviendra à appuyer la thèse elle-même. De sorte que, si l'on ne s'attaque qu'à la conclusion de l'objection, il faudra veiller à ne pas simplement répéter un des arguments déjà utilisés à l'appui de sa thèse ; on apportera plutôt un troisième argument appuyant la thèse en guise de réfutation.

Une autre façon de répondre à l'objection qui contredisait directement la thèse consiste à s'attaquer au cœur de l'objection, en manifestant la fausseté de l'une ou l'autre des prémisses dont elle était constituée. La réfutation consistera alors en un argument qui conclut la contradiction de l'une ou l'autre des prémisses de l'objection. Ainsi, pour répondre à la première objection donnée plus haut comme exemple, qui se fondait sur l'idée que « le mensonge permet de ne pas révéler une vérité qui pourrait faire mal à celui qui n'est pas disposé à l'entendre », on pourrait faire valoir que la restriction mentale (qui consiste à taire certaines vérités mais en se gardant bien de dire des faussetés) permet, avec beaucoup moins d'inconvénients et à moindres frais pour la conscience, d'atteindre cet objectif d'éviter de faire mal.

Réfutation de l'objection qui attaquait directement la thèse

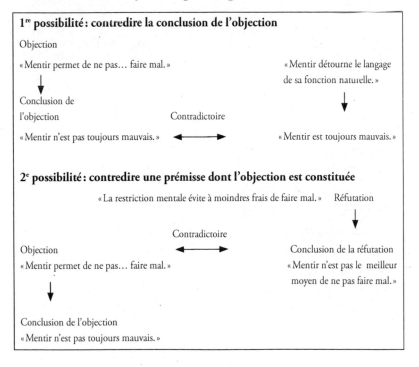

Par ailleurs, dans le cas où l'objection contredisait une prémisse appuyant la thèse, deux avenues s'offrent à celui qui entreprend de réfuter : soit il vise à contredire la conclusion de l'objection (ce qui, en pratique, reviendra à appuyer une des prémisses de l'argument principal), soit il vise à contredire l'objection elle-même, ce qui permettra d'expliquer pourquoi elle ne tient pas. Par exemple, pour réfuter l'objection qui disait que « mentir ne détruit pas nécessairement la confiance entre les humains, car ceux à qui l'on ment ne s'en rendent pas toujours compte et continuent donc de faire confiance », on peut faire valoir que « mentir détruit nécessairement la confiance entre les humains, parce que, pour pouvoir se fier les uns aux autres, il faut absolument avoir l'espérance ferme que chacun nous dit la vérité ». Une telle réfutation contredit la conclusion de l'objection. Mais on peut aussi faire valoir que, « tôt au tard, ceux à qui l'on a menti finiront par s'en rendre compte et nous retirer leur confiance, car la vérité finit toujours par être connue » ; en contredisant ainsi l'objection, on s'attaquera au cœur même de la difficulté.

Réfutation de l'objection qui attaquait une prémisse de la thèse

Quand l'objection se fonde sur une analogie, la meilleure façon de répliquer consiste à argumenter que les deux situations comparées ne sont pas suffisamment semblables, qu'elles présentent au contraire une ou des différences importantes. Par exemple, pour contrer l'analogie fondée sur le camouflage, on pourrait dire que les animaux n'utilisent pas le camouflage pour tromper des membres de leur propre espèce et qu'on ne peut donc pas l'invoquer pour justifier une façon de se tromper entre représentants de l'espèce humaine.

Quand l'objection se fonde sur une induction, on peut la contrer en faisant valoir une exception, ou en montrant que l'induction n'a pas considéré tous les cas. Ainsi, il serait facile d'indiquer des situations où des mensonges n'ont pas apporté de bien ou ne visaient rien de bon.

En somme, quand il est question d'objection ou de réfutation, quelle que soit la sorte d'argument qu'il faudra contrer, il faudra toujours chercher à contredire, par un argument, un argument adverse. Certes, il existe aussi un autre mode d'opposition que la contradiction, à savoir l'opposition entre des contraires[1]. Pourquoi, alors, faudrait-il toujours utiliser la contradiction ? Si une prémisse ou une conclusion est universelle, ne peut-on pas aussi la contrer en tentant de conclure l'universelle opposée, soit la contraire ? Rien ne l'interdit, mais ce n'est pas nécessaire ; il faut tenir compte du fait qu'il est beaucoup plus difficile d'argumenter en faveur d'une conclusion universelle qu'en faveur d'une conclusion particulière. Par exemple, si l'on veut s'opposer à la thèse que « tous les mensonges sont mauvais », on pourrait peut-être réussir à manifester que « certains mensonges ne sont pas mauvais », mais il serait extrêmement difficile, voire carrément impossible, de montrer qu'« aucun mensonge n'est mauvais ».

Tableau des stratégies de réfutation

Objection à contrer	Stratégie à adopter
L'objection repose sur une déduction.	Trouver une prémisse qui contredit l'objection.
L'objection repose sur une analogie.	Faire valoir la dissimilitude entre les deux situations comparées.
L'objection repose sur une induction.	Trouver une exception.

---

1. Voir supra, p. 41, notes 2 et 3.

QUESTIONS

1. Quelle est la différence entre une objection et une réfutation?

2. Que vient contredire la conclusion d'une objection?

Vrai ou faux?

1. Une objection est nécessairement un argument déductif.

2. Une objection peut contredire soit directement la thèse, soit une ou l'autre des prémisses qui appuyaient la thèse.

3. Une réfutation permet de contrer un contre-argument.

EXERCICE SUR L'OBJECTION ET LA RÉFUTATION

I- Dites comment l'objection soulevée s'oppose à la thèse : est-ce en contredisant directement la thèse, ou en contredisant une prémisse qui appuie la thèse (dans ce cas, précisez laquelle)?

Exemple 1 :

Mentir est mauvais, car cet acte détruit la confiance entre les humains.

Objection : Mentir n'est pas toujours mauvais, car cet acte permet de ne pas dire une vérité qui pourrait faire mal à celui qui n'est pas disposé à l'entendre.

Réponse : L'objection s'oppose à la thèse en la contredisant directement.

Exemple 2 :

Mentir est mauvais, car cet acte détruit la confiance entre les humains.

Objection : Mentir ne détruit pas nécessairement la confiance entre les humains, car ceux à qui l'on ment ne s'en rendent pas toujours compte et continuent donc de faire confiance.

Réponse : L'objection s'oppose à la thèse en contredisant la prémisse mineure qui l'appuie.

Exemple 3 :

Mentir est mauvais, car cet acte détruit la confiance entre les humains.

Objection : Ce qui détruit la confiance entre les humains n'est pas nécessairement mauvais, parce que la confiance n'est pas toujours un bien.

Réponse : L'objection s'oppose indirectement à la thèse, en contredisant la prémisse majeure qui l'appuyait.

À votre tour maintenant !

1. Tout ce qui rend indépendant et libre de faire ce qu'on veut fait le bonheur ;

   Or, l'argent rend indépendant et libre de faire ce qu'on veut ;

   Donc l'argent fait le bonheur.

   Objection :

   Un simple instrument ne peut pas faire le bonheur ;

   Or, l'argent n'est qu'un instrument ;

   Donc, l'argent ne fait pas le bonheur.

2. Tout ce qui fait se sentir excellent et apprécié fait le bonheur ;

   Or, les honneurs font qu'on se sent excellent et apprécié ;

   Donc, les honneurs font le bonheur.

   Objection :

   Ce qui fait le bonheur dépend de nous (car il est en notre pouvoir de faire des choix constructifs) ;

Or, les honneurs ne dépendent pas de nous (mais de ceux qui honorent) ;

Donc les honneurs ne font pas le bonheur.

3. L'être humain est spécifiquement distinct des autres animaux, car il est le seul animal capable de réfléchir et de penser.

Objection : L'être humain n'est pas le seul animal capable de réfléchir et de penser, car les dauphins ont une forme d'intelligence.

4. L'être humain est le pire des animaux, parce que lui seul transgresse les limites de sa nature.

Objection : Transgresser les limites de sa nature ne rend pas un être pire, mais meilleur, parce que cette possibilité provient de la raison, qui ouvre à une vie plus riche et diversifiée.

5. L'être humain n'a pas la maîtrise de ses actes, car il est influencé par de fortes passions.

Objection : Être influencé par des passions ne veut pas dire qu'elles exercent un contrôle total. Une simple influence sur les actes n'implique pas une absence de maîtrise quant à ces mêmes actes.

II- Prononcez-vous sur les objections du numéro précédent : sont-elles appropriées (ni trop simplistes ni trop difficiles à répondre), ou tellement fortes qu'il y aurait lieu pour un auteur de réviser sa thèse initiale ?

Exemple 1 (voir ci-dessus, numéro I, exemple 1) :

L'objection est appropriée, elle n'est ni simpliste ni trop difficile à répondre.

Exemple 2 (voir ci-dessus…) :

L'objection est appropriée, elle n'est ni simpliste ni trop difficile à répondre.

Exemple 3 (voir ci-dessus…) :

L'objection est appropriée, elle n'est ni simpliste ni trop difficile à répondre. Elle aurait tout de même besoin d'être un peu développée, en manifestant en quoi la confiance pourrait ne pas toujours être un bien.

À votre tour maintenant !

1. (Voir ci-dessus, numéro I, 1)
2. (Voir ci-dessus, numéro I, 2)
3. (Voir ci-dessus, numéro I, 3)
4. (Voir ci-dessus, numéro I, 4)
5. (Voir ci-dessus, numéro I, 5)

III- Réfutez les objections données :

Exemple :

L'argent ne fait pas le bonheur, car il n'est qu'un instrument. À cela, on pourrait objecter que l'argent rend indépendant et libre de faire ce qu'on veut. Mais… (Rédigez ici une réfutation.)

Réfutation :

Mais cette indépendance est bien relative : de nombreux besoins humains ne sauraient être comblés simplement avec de l'argent, de sorte que même le plus riche des hommes continue de dépendre de ses semblables. En outre, ceux qui s'attachent trop à l'argent en deviennent esclaves, de sorte que la « liberté » qu'il procure semble bien illusoire.

À votre tour maintenant !

1. Les honneurs ne font pas le bonheur. En effet, ils ne dépendent pas de nous, mais de ceux qui honorent. Or le bonheur dépend de nous, il ne peut pas consister en quelque chose qui échappe à notre contrôle. Mais, pourrait-on objecter, les honneurs font que nous nous sentons excellents et appréciés,

donc ils nous rendent heureux. Certes, il est vrai que le fait de recevoir des honneurs fait que nous nous sentons appréciés, mais ce n'est pas vrai que le bonheur consiste essentiellement en cela. En effet, (complétez la réfutation).

2. L'être humain est le meilleur des animaux, parce qu'il peut, grâce à sa raison, échapper aux déterminismes de la nature, mener une vie riche et diversifiée et conduire lui-même sa vie vers des buts élevés. Certains font valoir, à l'encontre de cette idée, que l'être humain est le pire des animaux, parce que lui seul transgresse les limites de sa nature. En utilisant cette possibilité de transgression, il cause beaucoup de désordre, il perturbe l'ordre naturel des choses : il pollue l'environnement, il est cruel envers ses semblables, il est plein de mensonges et d'hypocrisie. À cette objection, il faut répondre que (complétez la réfutation).

3. L'être humain est spécifiquement distinct des autres animaux, car il est le seul animal capable de réfléchir et de penser. Certains mettent en doute que nous sommes uniques sur ce point. Ils disent que l'être humain n'est pas le seul animal capable de réfléchir et de penser, car les dauphins ont une forme d'intelligence. Mais (complétez la réfutation).

4. L'être humain a la maîtrise de ses actes, car, contrairement aux autres animaux, il possède la raison, laquelle le rend capable de comprendre les fins qu'il peut poursuivre et de trouver les moyens qui y conduisent. Il peut ainsi exercer un libre jugement sur les actes à poser. Il n'est pas déterminé par un instinct, comme les autres animaux. Certains s'objectent à cette idée. Ils disent que l'être humain n'a pas la maîtrise de ses actes, car il est influencé par de fortes passions qui le mènent. À cela, on peut répondre que (complétez la réfutation).

Les critères communs à respecter dans l'écriture d'un texte argumentatif

Pour défendre une position, comme on demande de le faire dans un texte argumentatif, il faut absolument construire des arguments. En les construisant, on doit faire preuve d'esprit critique.

Cela veut dire qu'il faut faire preuve de jugement, de discernement, dans le choix de ses opinions. On doit avoir la capacité de prendre du recul vis-à-vis des opinions communes, des idées toutes faites, auxquelles on adhère sans réfléchir, alors qu'un peu de réflexion pourrait montrer que ces idées sont loin d'être l'évidence même. Avant d'adhérer à une idée, il faut être prêt à l'examiner.

Faire preuve d'esprit critique implique aussi que, dans son texte argumentatif, on n'a pas simplement retranscrit les propos de son professeur ou d'un philosophe étudié durant le cours. En lisant le texte, le correcteur doit pouvoir constater, de la part de son auteur, une certaine appropriation des concepts, une certaine compréhension des enjeux. Il ne faudrait pas que le texte apparaisse davantage comme une succession de citations que comme le fruit d'une réflexion personnelle.

Prendre du recul vis-à-vis des opinions communes n'enlève pas la nécessité, soulignée précédemment, de partir de principes acceptables et, il faut s'y attendre, communément acceptés. Par exemple, on peut choisir de soutenir,

comme l'a fait naguère le philosophe Charles de Koninck[1],
que «nous ne devons pas élever nos enfants de la façon
préconisée par la majorité». Soutenir une telle thèse, c'est
faire preuve d'esprit critique par rapport à l'opinion communément répandue qui voudrait qu'on «acquiesce à tous
leurs désirs, qu'on les laisse jouer comme ils l'entendent,
écouter n'importe quelle musique ou regarder tout ce qui
peut leur tomber sous les yeux». Cependant, cela ne dispense
pas d'argumenter cette thèse à partir de principes qui pourront être acceptés. Par exemple, on fera valoir que les bonnes
dispositions ne sont pas infuses, que les parents doivent aider
l'enfant à acquérir de bonnes habitudes et appuyer les premiers efforts de sa raison. Mais, si quelqu'un voulait s'écarter
de l'opinion commune au point d'avancer que les parents
doivent dominer leurs enfants comme les maîtres dominaient
leurs esclaves, il ne réussirait ni à bien défendre sa thèse ni
à faire preuve d'esprit critique dans le choix de ses idées.

L'appropriation et la capacité de recul vis-à-vis des opinions communes sont en quelque sorte des critères d'évaluation de l'esprit critique. À toutes fins utiles, c'est surtout
la qualité de l'objection et de la réfutation présentées qui
témoignera de la possession d'un esprit critique.

Par ailleurs, le texte argumentatif devra témoigner d'un
emploi correct des critères de la rationalité, à la fois pour
juger des positions différentes et pour défendre correctement
sa propre position.

Cela signifie que les propos devront être...

- **Cohérents**. En lisant le texte, le correcteur va examiner sa cohérence, c'est-à-dire qu'il va vérifier si les
  propos se composent de parties compatibles, liées et
  harmonisées entre elles, ou si, au contraire, ils com-

---

1.   Charles De Koninck, *Tout homme est mon prochain*, Québec, Les Presses de l'Uni-
      versité Laval, 1964, p. 37; dans la réédition *Œuvres de Charles De Koninck*, tome
      II, volume 1, PUL, 2009, p. 59.

portent des contradictions ou manquent de suite. Le texte doit être bien construit, il doit comporter un développement logique et naturel. Si un plan logique n'a pas été construit avec soin, le texte apparaîtra comme une mosaïque, où l'on juxtapose superficiellement différents éléments au lieu de les incorporer de manière à ce qu'ils forment un tout cohérent.

- **Clairs**. En lisant le texte, le correcteur va examiner sa clarté, c'est-à-dire qu'il va vérifier si les énoncés et les arguments sont formulés de façon suffisamment nette et distincte ; il va regarder si ce qui est dit est compréhensible, sans équivoque, ou si, au contraire, c'est nébuleux, obscur. Ne pas savoir utiliser les termes appropriés ou des structures de phrases convenables pour exprimer son idée, c'est risquer de ne pas se faire comprendre clairement.

- **Pertinents**. En lisant le texte, le correcteur va examiner leur pertinence, c'est-à-dire qu'il va vérifier si les développements et les argumentations conviennent à l'objet. Autrement dit, tout ce qui est dit est-il en lien, en rapport avec la question posée au début du texte ? Sinon, on aura beau dire des choses vraies et intéressantes, elles ne seront pas pertinentes dans le contexte du problème qu'il fallait traiter, on sera hors sujet.

- **Réalistes, acceptables**. En lisant le texte, le correcteur va examiner son réalisme, c'est-à-dire qu'il va vérifier si les argumentations sont en conformité avec l'expérience manifeste qu'on peut avoir des choses. Attention aux généralisations simplistes, il faut s'assurer d'apporter les nuances nécessaires pour rendre compte de façon adéquate de la réalité étudiée. Le correcteur va également vérifier si les propos sont acceptables, c'est-à-dire si les prémisses utilisées correspondent à ce que tous les gens, ou la plupart des gens, ou tous les experts, ou la plupart des experts, accepteraient d'accorder. Tout en sachant faire preuve d'esprit critique dans le choix de ses thèses, il faut veiller à ne pas faire reposer ses arguments sur des propositions que personne, ou presque, n'accorderait et à ne pas avancer des choses susceptibles de heurter ou d'indisposer le lecteur (comme le ferait celui qui tiendrait des propos racistes, par exemple).

- **Suffisants**. En lisant le texte, le correcteur va examiner sa «suffisance»: les arguments qu'il contient sont-ils assez forts, sont-ils suffisamment convaincants, sont-ils suffisants pour motiver l'adhésion du lecteur à la thèse qui est défendue? Aurait-on négligé des aspects essentiels du sujet traité? S'est-on contenté de donner des exemples, de rapporter des anecdotes, n'a-t-on fait qu'illustrer ce qu'on voulait dire mais sans le démontrer?

Tableau des critères communs

Les critères attestant l'esprit critique	Explication du critère
La capacité de recul	N'adhérer à une idée qu'après réflexion. Garder une distance critique face aux opinions de son milieu.
L'appropriation	Rédiger de façon personnelle, sans emprunts indus à autrui.
Les critères attestant la rationalité	
La cohérence	Bien lier et harmoniser toutes les parties du texte, sans contradictions.
La clarté	Formuler de façon nette et distincte.
La pertinence	Rester dans le sujet, sans en dévier.
Le réalisme et l'acceptabilité	Se conformer à l'expérience. Se rattacher à des idées crédibles. Éviter ce qui pourrait heurter ou indisposer.
La suffisance	Trouver des arguments assez forts. Ne pas se contenter d'exemples ou d'anecdotes.

Pour développer son habileté à respecter ces critères, il convient d'apprendre à reconnaître comment un texte argumentatif aurait besoin d'être révisé de façon à mieux en tenir compte. L'exercice qu'on trouvera à la suite de l'exposé des stratégies de révision y contribuera.

QUESTIONS

1. Quand on fait preuve d'esprit critique, quelle attitude a-t-on vis-à-vis des opinions qui circulent autour de nous?

2. Quand on fait preuve d'esprit critique, de quelle façon se sert-on des idées vues en classe ou lues chez un philosophe?

3. D'après vous, les cinq principales exigences de la rationalité présentées sont-elles toutes également importantes? Quel manquement, par rapport à l'une ou l'autre de ces exigences ou à l'esprit critique, devrait être le plus pénalisé?

Vrai ou faux?

1. Faire preuve d'esprit critique, c'est s'écarter systématiquement de toute opinion commune.

2. Ce n'est pas très grave si un texte comporte des contradictions, c'est normal de changer d'idée, parfois, en cours de route.

3. L'important, dans une rédaction, c'est de dire des choses vraies et intéressantes; peu importe si elles ont plus ou moins rapport à la question posée au début.

4. Quand on écrit, il est bon de simplifier les choses et de ne pas apporter de nuances, pour ne pas compliquer les choses et pour que nos propos restent très clairs.

5. Dans un texte argumentatif, il est amplement suffisant de donner des exemples ou de rapporter des anecdotes intéressantes, pour convaincre le lecteur de notre point de vue.

Utilisation appropriée
de stratégies de révision

Une fois que la rédaction du texte est terminée, il ne faut jamais négliger, avant de le remettre, de se relire. On peut aussi demander à un parent ou à un adulte à l'esprit cultivé de juger si tout ce qu'on a écrit est clair.

Lors de cette relecture, il faut procéder à la révision de son texte en tenant compte de tout ce qui a été enseigné concernant la structure d'un texte argumentatif, les règles de la logique et les critères communs.

LA RÉVISION DE LA STRUCTURE DU TEXTE

Pour la révision quant à l'aspect «structure» du texte argumentatif, le plus simple est d'utiliser la grille de correction – à condition, bien sûr, que le professeur en fournisse une – comme une liste à cocher (*check-list*). Il suffit de vérifier, en rapport avec chaque élément de la grille, si le texte contient cet élément et s'il le contient d'une bonne façon. Par exemple, est-ce que, conformément à la grille, mon introduction commence par une amorce, par un «sujet amené»? Et est-ce que cette amorce est de bonne qualité? Y aurait-il moyen de l'améliorer? Et ainsi de suite, pour chacun des éléments de la grille.

LA RÉVISION DES ASPECTS LOGIQUES

Pour la révision quant aux aspects logiques, il faut vérifier…

1) si, dans sa présentation du problème, on fait allusion, comme à des solutions possibles, à deux thèses vraiment opposées parce qu'elles sont contradictoires, et non à un faux dilemme parce qu'il s'agirait de deux propositions contraires (qui pourraient être toutes les deux fausses) ou sous-contraires[1] (qui pourraient être toutes les deux vraies).

2) si on a bien défini les notions clés qui entrent dans la formulation du problème. Il faut s'assurer que, tout au long du texte, on a toujours utilisé les mots dans le même sens en référence à ces notions. On doit aussi s'assurer que les définitions, en plus d'être pertinentes dans le contexte, ne sont ni trop larges, ni trop étroites, ni circulaires.

3) si les arguments respectent les règles de base de l'argumentation. Si l'on a utilisé des déductions, il faut s'assurer que l'enchaînement des idées est rigoureux, que la conclusion découle vraiment des prémisses posées. Si l'on a utilisé une induction, il faut s'assurer de s'être basé sur suffisamment de cas, il faut qu'on puisse vraiment dire « et ainsi de même dans tous les autres cas ». Si l'on a utilisé un raisonnement par analogie, il faut s'assurer d'avoir rapproché des réalités suffisamment ressemblantes et de ne pas s'être basé sur une ressemblance trop superficielle.

4) si l'objection en est véritablement une. Pour le savoir, il faut vérifier si l'on a vraiment présenté un argument dont la conclusion contredit soit la thèse, soit une

---

1   On appelle « sous-contraires » les énonciations particulières affirmative et négative. Par exemple, « certains politiciens sont menteurs » et « certains politiciens ne sont pas menteurs ». On les appelle ainsi par que ces particulières sont respectivement rangées sous les énonciations universelles contraires.

prémisse ayant servi de point d'appui à la thèse. Il faut aussi s'assurer que l'objection n'est pas trop simpliste.

5) si la réfutation est en véritablement une. Pour le savoir, il faut vérifier si la réponse à l'objection consiste effectivement en un argument qui contredit l'objection et présente manifestement plus de vraisemblance.

LA RÉVISION QUANT AUX CRITÈRES COMMUNS

En écrivant le texte argumentatif et, plus encore, en le relisant une fois la rédaction terminée, il sera important d'avoir les différents critères (cohérence, clarté, pertinence, etc.) à l'esprit et de faire l'effort de vérifier si le texte les respecte. Il ne faut pas tomber trop vite en admiration devant l'œuvre de ses mains! Il ne faut pas avoir peur de se demander, avant de remettre son texte à son professeur : se pourrait-il que, sans m'en rendre compte, je me sois contredit quelque part dans ce texte ? À les reprendre une à une, toutes mes phrases sont-elles bien claires ? M'arrive-t-il de dévier du sujet ? Aurais-je négligé une partie de ce qui était demandé ou de ce que j'ai annoncé ? Tout ce que je dis est-il réaliste, acceptable, suffisamment nuancé ? Suis-je toujours convaincant d'un bout à l'autre de mon texte, ai-je vraiment apporté des preuves ?

Si l'on prend le temps de se poser ces questions sur le texte, on a de bonnes chances de constater avant qu'il ne soit trop tard qu'il comportait des points à améliorer.

La révision du français

Enfin, puisqu'il est important aussi de veiller à la qualité du français – on sera d'ailleurs pénalisé pour ses fautes de français –, il faut aussi procéder à la révision de son texte en étant à l'affût des fautes d'orthographe, de grammaire et de syntaxe et des « mauvais mots », c'est-à-dire des termes inappropriés ou mal choisis. Il faut utiliser le dictionnaire pour les mots dont on n'est pas sûr.

Liste schématique des stratégies de révision*

Révision de la structure du texte	Révision des aspects logiques	Révision quant aux critères communs	Révision du français
L'introduction contient-elle une amorce, une problématisation et (si demandé) une division du propos ?	Un véritable problème, impliquant le choix entre deux thèses contradictoires, est-il présenté ?	Le texte est-il cohérent, exempt de contradictions ? **(cohérence)** Les formulations sont-elles toutes claires, sans ambiguïtés ? **(clarté)**	Le texte contient-il des fautes d'orthographe ? Le texte contient-il des fautes de syntaxe ? Le texte contient-il des mots mal choisis, des termes inappropriés ?
Le développement contient-il des éclaircissements et des arguments, ainsi qu'une objection et une réfutation ?	Les notions clés sont elles bien définies ? Les arguments présentés respectent-ils les règles de l'argumentation ? L'objection est-elle vraiment un argument dont la conclusion est la contradiction de la thèse ou d'une prémisse à l'appui de la thèse ? La réfutation est-elle vraiment un argument qui détruit l'objection ?	Les propos sont-ils toujours pertinents, ou font-ils parfois dévier du sujet ? **(pertinence)** Les propos sont-ils toujours réalistes et acceptables ? **(réalisme)** Les arguments sont-ils suffisamment forts ? **(« suffisance »)**	
La conclusion contient-elle un rappel du résultat de l'argumentation menée et une phrase qui clôt élégamment le texte ?			

* Ce pourrait être une bonne idée de se fabriquer une liste à cocher à partir de ce tableau. : « Mon introduction contient une amorce, une problématisation, etc. »

QUESTION

Une fois qu'on a écrit son texte argumentatif, y a-t-il quelque chose d'autre à faire avant de le remettre à son professeur? Expliquez.

EXERCICE DE RÉVISION

Voici les consignes d'un professeur et une dissertation d'étudiant produite à partir de ces consignes. L'exercice consiste à réviser cette dissertation à l'aide des stratégies qui viennent d'être suggérées.

CONSIGNES DU TRAVAIL DE RÉDACTION

Le travail consiste à produire une argumentation sur une question philosophique.

La question[2] sur laquelle vous devez argumenter votre point de vue est: «L'ignorance est-elle un grand mal?»

En traitant votre question, vous devrez faire une allusion (par citation ou autrement) à un des textes étudiés en classe.

La remise du travail doit se faire en classe au début de la 12e[3] semaine de la session.

Dans le texte à rédiger, il faudra...

• Une introduction, dans laquelle vous devrez...

◊ Amener le sujet, en le situant dans un contexte plus vaste, de façon à en faire ressortir l'intérêt. ·

---

2. En réalité, les étudiants pouvaient choisir parmi une liste de onze questions.
3. La remise se fait habituellement dans le dernier quart de la session, mais le moment précis est à la discrétion du professeur.

◊ Poser le sujet, c'est-à-dire éclaircir ce qui suscite la controverse et rend nécessaire la recherche d'une solution.

◊ Diviser le sujet, en annonçant la façon dont vous allez traiter la question.

- Un développement, dans lequel vous devrez...

  ◊ Clarifier votre thèse, en l'expliquant, en définissant les concepts clés qui pourraient prêter à confusion.

  ◊ Présenter deux arguments à l'appui de votre thèse.

  ◊ Soulever une objection et y répondre.

- une conclusion, dans laquelle vous devrez...

  ◊ rappeler l'intérêt de votre enquête, faire ressortir l'essentiel de votre développement.

  ◊ Clore élégamment votre texte, en ouvrant sur d'autres horizons, en présentant une interrogation sur laquelle a débouché votre étude.

Ce travail compte pour 25[34] points (25 % de la session) et sera évalué à partir de la grille de correction ci-jointe. Votre texte devra comporter au moins 700 mots et ne pas dépasser 1000 mots. Je vous demande d'indiquer le nombre de mots à la fin de votre texte.

GRILLE D'ÉVALUATION DU TEXTE ARGUMENTATIF

Par ce travail de rédaction, vous démontrerez votre compétence à produire une argumentation sur une question philosophique. Vous serez évalués en fonction de votre capacité à élaborer une problématique philosophique pertinente sur une question, à formuler clairement une thèse, à

---

4. Ce pourcentage peut bien sûr varier d'un professeur à l'autre, mais il se situe généralement entre 20 et 30 pour cent.

présenter de façon judicieuse arguments, objections et réfutations et à respecter les exigences de la rationalité dans l'argumentation.

La ventilation des points se fera comme suit :

Introduction avec sujet bien amené, posé (avec problématisation) et divisé	/4 pts
Développement…	
Avec clarification pertinente des concepts clés	/3 pts
Incluant un premier argument qui appuie la thèse	/4 pts
Incluant un deuxième argument qui appuie la thèse	/4 pts
Incluant une objection valable	/3 pts
Incluant une réfutation explicite et appropriée à l'objection	/3 pts
Incluant une allusion pertinente à un des textes étudiés en classe	/2 pts
Conclusion rappelant adéquatement l'essentiel du développement et apportant une belle finale	/2 pts

Vous serez pénalisés si votre texte présente des lacunes parmi les suivantes :

- Texte trop court (moins de 700 mots) ou trop long (plus de 1000 mots) ;
- Incohérences ;
- Passages non pertinents par rapport à la question traitée ;
- Obscurités, passages équivoques ou incompréhensibles ;

- Énoncés ou arguments basés sur des propos manquant de réalisme ou inacceptables ;
- Usage trop abondant des citations ;
- Omissions, éléments annoncés mais non traités.

Il va de soi que la politique du cégep en matière d'évaluation des apprentissages s'applique :

- « Chaque erreur de langue est pénalisée à raison de 0,5 % de la pondération de l'évaluation en cause jusqu'à concurrence de 10 % de la note, selon le nombre d'erreurs[5]. » Pour ce travail noté sur 25 points, la pénalité pour chaque erreur de langue sera de 0,125 point (0,5 % x 25) jusqu'à concurrence de 2,5 points pour ce travail.

- « Les travaux exigés de l'étudiant doivent être remis au professeur à la date et au lieu indiqués. Une journée ouvrable de retard est tolérée entraînant une pénalité de 5 % de la note. Au-delà de ce délai, le travail est refusé et la note "0" est attribuée[6]. » Pour ce travail noté sur 25, la pénalité pour un jour de retard sera de 1,25 point (5 % x 25).

- « Tout acte de plagiat et de fraude sera sanctionné. Constitue notamment un plagiat ou une fraude tout acte de reproduire en tout ou en partie le travail d'une autre personne. En cas de plagiat, l'étudiant obtient la note "0" pour ce travail[7]. »

---

5.   Politique d'évaluation des apprentissages du cégep de Sainte-Foy.
6.   *Ibid.*
7.   *Ibid.*

DES EXEMPLES DE DISSERTATION

1. Faites la révision de la dissertation ci-dessous à l'aide des questions contenues dans la liste schématique des stratégies de révision (voir page 108).

    Pour faciliter la révision du français, nous avons mis en caractères droits les mots comportant des fautes.

Dissertation[8] de l'étudiant 1

L'ignorance est-elle un grand mal?

L'école est un établissement instauré pour nous instruire, la sagesse de nos grands-parents est là pour nous guider, les médias sont là pour nous informer sur l'actualité, les livres nous racontent l'histoire, etc. Tant de moyens de nous cultiver! Pourtant, que ce soit par leur propre volonté ou contre leur gré, beaucoup de gens sont privés de ces connaissances que le monde extérieur nous apporte. Faut-il s'en inquiéter? Chez une personne, le manque de savoir et d'instruction, qu'on identifie comme de l'ignorance, peut-il lui causer du mal? Cette lacune peut-elle s'avérer contraire à l'intérêt de cette personne? En observant et en analysant la liberté et le niveau de bonheur chez un individu sans culture générale, nous pouvons tenter de répondre à cette question qui, compte tenu du grand nombre d'ignorants présents de nos jours, mérite que nous y cherchions réponse.

Tout d'abord, selon moi, le fait de posséder peu de connaissances met en péril la liberté d'un individu. En effet, si quelqu'un ne connaît rien à la vie et veut réussir, il devra toujours dépendre des personnes qui possèdent l'information nécessaire à sa survie. C'est ainsi que l'enfant encore ignorant de ce qu'est le monde doit rester près de ses parents pour survivre, ou qu'un bébé sans parents n'a aucune espérance de vie à moins que quelqu'un d'autre s'occupe de lui. De même, un employé nouvellement engagé, qui ne connaît pas encore son travail, dépend de son

---

8. Le texte a été remanié pour en faciliter la lecture.

formateur. Nous pouvons comparer sa situation à celle d'un voyageur dans un pays étranger dont il ne connaît pas la langue : il ne peut se débrouiller sans un dictionnaire ou encore un traducteur. Nous pouvons donc dire que l'ignorance implique une dépendance. Or, on définit la liberté comme une situation de la personne qui n'est pas sous la dépendance de quelqu'un ou quelque chose.

On constate par ailleurs que, sans éducation, il est très difficile de gagner assez d'argent pour subsister, car le manque de connaissances empêche d'avoir accès à un bon emploi. Nous pouvons constater cela en étudiant les rapports de l'UNICEF et de l'OMS qui rapportent que 1,5 milliard de personnes vivent avec moins d'un dollar par jour et que 855 millions d'hommes et de femmes sont analphabètes. De nos jours, le manque d'argent est une entrave majeure à la liberté, car cela diminue de façon importante le pouvoir d'agir de la personne. C'est encore une fois contraire à la définition de la liberté, car, être libre, c'est avoir la possibilité d'agir sans contrainte. Par conséquent, nous pouvons déduire que l'ignorance nuit à la liberté des individus.

Ensuite, je crois que l'homme est incapable d'atteindre le bonheur sans savoir. Nous savons, grâce à l'histoire de l'humanité, que c'est dans la nature de l'homme de chercher des réponses à ses questions. Effectivement, il y a plusieurs centaines d'années, les gens ignoraient leurs origines et, pour répondre à leurs questions, ils s'inventaient des mythes, des dieux, des légendes, etc. L'homme a comme réflexe de chercher à comprendre le monde dans lequel il est, sans quoi, sans aucune explication de son environnement, il n'arrive pas à répondre à un de ses besoins les plus fondamentales, *celui de comprendre. C'est ce besoin qui distingue l'homme de l'animal et qui permet à l'homme de survivre sans fourrure, armes ou tout autre avantage physique que possèdent les animaux. C'est alors que, subissant ce manque, un individu ne peut se rendre à l'euphorie, car ses besoins ne sont pas tout satisfaits. Comme le dit Aristote dans l'*Éthique à Nicomaque, *l'homme a besoin du savoir pour être heureux :*

« *Mais si le bonheur est une activité selon la vertu, il est raisonnable qu'il soit selon la plus excellente, et celle-ci est la vertu de la partie la meilleure de nous-mêmes…* ». Aristote parle ici de l'intelligence. Certains diront, contrairement à mon opinion, que l'ignorance, qui nous empêcherait de voir le mal et de vivre les difficultés qu'implique l'éducation, entraîne le bonheur. À ces gens, nous pourrions répondre que, s'ils sont incapables de voir le mal, ils sont certainement dans l'impossibilité de voir le bien. Sans connaissance du bien, il est impossible d'accéder au bonheur. Le bonheur dans l'ignorance ne serait fondé que sur des illusions facilement contredites, donc leur « bonheur » serait trop fragile pour durer.

Pour conclure, l'ignorance, qui fait d'un être un prisonnier en lui retirant toute liberté d'agir et qui brime un des désirs les plus forts de l'homme lui refusant ainsi le bonheur, ne peut être un état associé au bien. Dans cette étude, nous aurions pu aussi nous demander ce qu'aurait été notre monde si chaque être humain subissait l'ignorance. Rien ne serait pareil certainement.

AVERTISSEMENT

Il ne faudrait pas que cet exercice ait pour effet, au moment d'en consulter le corrigé, de décourager les professeurs qui ont plus d'une centaine de dissertations à corriger à chaque session, ou de créer des attentes indues de la part des étudiants quant à la façon dont leur copie sera annotée. Il convient donc de préciser que la préparation des corrigés proposés ici a nécessité, pour chaque dissertation, un temps et une attention considérables, qu'il serait tout à fait impossible pour un correcteur de consacrer dans sa pratique habituelle. Dans les faits, le professeur pourra choisir de cibler davantage tel aspect dans sa correction et de procéder de façon plus globale et intuitive pour le reste. Mais l'étudiant, qui n'a que son propre travail à relire, a tout intérêt à procéder à une révision aussi attentive que celle qui est proposée ici.

Exemple de réponse:

Réponse aux questions sur l'introduction:

Une amorce?

L'amorce est bien faite: l'évocation de différents moyens de se cultiver, en contraste avec la privation de ces connaissances chez beaucoup de gens, amène bien le sujet.

Une problématisation?

Il y a un certain effort de problématisation, dans la mesure où la question est reformulée en intégrant les définitions de l'ignorance («manque de savoir et d'instruction») et de mal («contraire aux intérêts de la personne»).

Une division du propos?

La division du propos est bien annoncée, en indiquant les deux notions (liberté et niveau de bonheur) à partir desquelles sera considéré l'individu sans culture générale.

À votre tour maintenant de répondre aux autres questions de la liste de stratégies de révision !

Voici maintenant les consignes du même professeur lors d'une autre session et trois exemples de dissertations d'étudiants produites à partir de ces consignes. L'exercice consistera encore une fois à réviser chacune de ces dissertations à l'aide des stratégies de révision suggérées.

Consignes du travail de rédaction

La question[9] sur laquelle vous devez donner votre point de vue est la suivante: «Chercher à être beau est-il de grande importance?»

En traitant votre question, vous devrez faire une allusion (par citation ou autrement) à l'*Hippias majeur* (http://ugo.

---

9. En réalité, les étudiants pouvaient choisir dans une liste de quatorze questions sur le thème de la beauté.

bratelli.free.fr/Platon/Platon-HippiasMajeur.htm) et une autre à un autre texte de Platon ou d'Aristote.

Le reste des consignes ainsi que la grille de correction étaient les mêmes que précédemment, sauf qu'au lieu de demander une allusion à un texte étudié en classe, on en demandait deux, dont une tirée du *Grand Hippias* de Platon.

2. Faites la révision de la dissertation ci-dessous à l'aide des questions contenues dans la liste schématique des stratégies de révision (voir page 108).

(Pour faciliter la révision du français, nous avons mis en caractères droits les mots comportant des fautes.)

Dissertation de l'étudiant 2

La beauté, une importance capitale?

Depuis le début de l'humanité, chaque individu cherche à être d'une beauté exemplaire. Pourtant la définition de la beauté cause beaucoup d'ambiguïté. Plusieurs philosophes, tels que Socrate, cherche *à établir une définition la plus précise de ce qu'est vraiment la beauté. Mais chercher à être beau est-il vraiment d'une grande importance dans notre société? Selon moi, la beauté n'est pas autant essentielle qu'elle en a l'air. La beauté n'est pas obligatoire pour mener une vie sociale plaisante et avoir une fière estime de soi-même. De plus, la beauté est relative à chacun et chacune: quelque chose de très beau aux yeux de quelqu'un peut être très laid pour une panoplie de personnes.*

En tout premier lieu, la beauté physique n'est pas nécessairement obligatoire pour une *mode de vie* saint. *Malgré* se que plusieurs personne pense, *la beauté peut nous apporter plusieurs avantages sociaux. Il y a plusieurs* genre *de beauté pour les êtres humains, les deux plus* grande *sont: la beauté* intérieur *et la beauté* extérieur. *La beauté extérieure, celle qui est visible à l'œil nu et qui fait résonner agréablement nos tympans, est une beauté physique que plusieurs personnes* sous estime *et que plusieurs personnes* juges *malhonnêtement. La beauté intérieure d'une personne, la façon d'agir et de penser d'une personne, est la plus grande beauté d'une personne. Donc quelqu'un peut être très laid, mais du même coup très* intelligente *et* mené *une meilleure vie que son voisin, qui lui est très beau, mais caché derrière une façade rénovée, se cache une monstruosité intérieure qui fait que cette personne mène un rythme de vie très maussade. Donc selon mon* points *de vue, qui me semble très réaliste, même si* certain *diront qu'être beau extérieurement peut apporter des avantages, tel qu'avoir une copine ou un copain hors de l'ordinaire. Mais* seul *la beauté* intérieur *peut apporter un mode de vie extraordinaire et* pleine d'*aventure* autant magnifique *les unes que les autres. La recherche de la beauté absolue n'est donc pas d'une grande importance.*

En second lieu, la beauté est relative à chacun et chacune : quelque chose de laid peut sembler être très beau pour quelqu'un et d'une laideur hors de l'ordinaire pour quelqu'un d'autre. Certain *individus de notre société accordent une très grande importance à leur apparence, ce qui ne devrait pas avoir lieu. Pourtant quelqu'un d'autre peut aussi ne pas accorder une grande importance au fait d'être beau ou pas. Donc, si ce n'est pas tous et chacun qui* recherche *la beauté parfaite, la beauté n'est pas d'une si grande importance dans une société. En voici un exemple purement révélateur de se phénomène. Dans la société d'aujourd'hui, nous sommes* rendu *avec plusieurs* style *différents de musique, mais deux de* c'est style, *le « rock'n'roll » et le fameux « rap », sont* entré *dans une « guerre » pour savoir* quelle *genre est le plus beau et le meilleur. Une grande majorité de la population, surtout des jeunes,* trouverons *le « rap » bien meilleur,* tant dis *que l'autre partie de la société, cette fois plus âgée, trouvera le « rock'n'roll » d'une beauté extraordinaire. Donc, ici la beauté diffère de personne en personne, soit à cause de leur âge, de leur sexe, de leurs valeurs et de bien d'autre* facteur. Voila *une autre preuve que la recherche de la beauté n'est pas d'une importance* capital *dans notre société et qu'il vaut mieux vivre au jour le jour.*

Bref, la beauté n'est point obligatoire pour vivre d'une manière civilisé en *vivre en paix avec soi-même et les autres. De plus, la beauté est relative à chacun et doit être* interprété *chacun à sa manière pour ne pas causer d'ambiguïté dans notre société. Je ne suis donc pas en accord avec la recherche de la beauté et* de *son importance dans la population pour un style de vie* saint.

Exemple de réponse:

Réponse aux questions sur les critères communs:

Un texte cohérent?

Le texte est-il cohérent ? Pas toujours. On ne peut à la fois dire que «chaque individu cherche à être d'une beauté exemplaire» et, deux paragraphes plus loin, proposer que «quelqu'un d'autre peut ne pas accorder une grande importance au fait d'être beau ou pas». Par ailleurs, on peut se demander comment on peut à la fois «vivre au jour le jour» et «privilégier la beauté intérieure» (ce qui peut exiger des efforts auxquels sera peu enclin celui qui entend vivre au jour le jour). Enfin, il est contradictoire de dire que «plusieurs personnes sous-estiment la beauté physique» après avoir prétendu que «chaque individu cherche à être d'une beauté exemplaire». La contradiction tient sans doute à un mauvais choix de mot: l'étudiant voulait probablement dire «surestiment».

Des formulations toutes claires?

Les formulations sont-elles toutes claires? La notion d'importance dans la société aurait eu besoin d'être clarifiée: parle-t-on, selon un point de vue sociologique, de l'importance accordée de fait par les gens à l'intérieur de notre société, ou, selon un point de vue philosophique et moral, de l'importance qui devrait être accordée? Une autre chose qui aurait mérité d'être clarifiée, c'est si le fait d'être relative à chacun s'applique seulement à l'appréciation de la beauté physique, ou s'il faut l'entendre aussi de celle de la beauté intérieure. Espérons que non, car autrement les avantages de la beauté intérieure seront bien relatifs…

Par ailleurs, ce qu'il faut entendre exactement par recherche de la beauté physique a été en partie clarifié par l'usage de qualificatifs tels que «exemplaire», «absolue», «parfaite», qui font comprendre que chercher à être beau n'est pas simplement avoir un certain souci de son apparence, mais plutôt viser de hauts standards de beauté corporelle. Ce qu'il faut entendre par «beauté intérieure» est un peu moins clair: on comprend qu'elle est en rapport avec «la façon d'agir et de penser de la personne», que c'est le contraire de la «monstruosité intérieure», qu'elle apporte un «mode de vie extraordinaire et plein d'aventures magnifiques», on devine qu'elle donne la capacité de «vivre d'une manière civilisée et en paix avec soi-même et les autres» et d'adopter un «style de vie sain», mais, au-delà de ces éléments disparates, on aurait souhaité des explications plus articulées sur cette notion.

Des propos toujours pertinents?

Les propos sont-ils toujours pertinents? Dans un texte où l'on s'interroge sur l'importance ou non de chercher à être beau, donner comme exemple les appréciations variées de la beauté de divers styles de musique fait dévier du sujet. Pour que l'évocation de la recherche de la beauté dans des musiques ait une pertinence, il aurait fallu la présenter comme une analogie et faire ressortir en quoi cela s'apparente à la recherche de la beauté des gens soucieux de leur apparence. Cela n'a pas été fait (du moins, pas explicitement). De plus, même s'il y avait analogie, elle ne servirait en rien à manifester le propos. En effet, la ressemblance porterait sur la variété des appréciations du fait d'être beau, mais aucunement, comme il aurait fallu, sur la variété dans le souci d'être beau. Enfin, il n'est guère pertinent de dire que notre point de vue nous semble très réaliste : cela n'ajoute aucun élément d'information sur le sujet traité ; de plus, mieux vaut laisser le lecteur juger par lui-même de la qualité de nos propos.

Des propos toujours réalistes et acceptables ?

Les propos sont-ils toujours réalistes et acceptables ? On peut se demander jusqu'à quel point la beauté intérieure apporte nécessairement avec elle une vie pleine d'aventures. Une personne qui mène une vie tranquille ne peut-elle pas être belle intérieurement ? On peut aussi douter fortement de l'acceptabilité du principe selon lequel ce qui fait l'objet d'appréciations variées et contradictoires est sans importance capitale (principe sur lequel repose la « preuve » de la non-importance de la recherche de la beauté). Dirait-on que la poursuite du bien et du bonheur est sans importance, vu que les gens ont des appréciations divergentes de ce qui est essentiel pour être heureux ?

Des arguments tous assez forts ?

Les arguments sont-ils assez forts ? Le premier argument, pour autant qu'on puisse le dégager d'un développement plein de détours, repose sur les prémisses suivantes : « Ce qui est important est ce qui aide à mener une bonne vie » et « la beauté physique n'aide pas à mener une bonne vie ». Cette dernière prémisse est manifestée par l'exemple de la personne laide mais intelligente qui peut mener une meilleure vie qu'une personne belle mais intérieurement monstrueuse. La première prémisse, restée sous-entendue, aurait eu intérêt à être justifiée ; cela aurait donné plus de force à l'argumentation.

Le deuxième argument est basé sur le principe que « ce qui est important est recherché par tous » ; la beauté (physique) parfaite n'étant pas recherchée par tous, on conclut qu'elle n'est pas importante. Encore ici, le principe aurait gagné à être justifié ou tout au moins démontré par un exemple ou une induction. Ou, si cela s'avérait impossible, n'y aurait-il pas lieu de chercher un autre argument plus convaincant? Sinon, un gros doute subsistera dans l'esprit du lecteur: ne se pourrait-il pas que quelque chose soit important sans que, nécessairement, il soit recherché par tous?

Par ailleurs, la prémisse mineure est justifiée par le raisonnement suivant: «Rien de ce qui (dans son appréciation) est relatif à chacun n'est recherché par tous», or «la beauté (physique) parfaite est (dans son appréciation) relative à chacun», donc «la beauté (physique) parfaite n'est pas recherchée par tous». Cet argument est très faible, on peut même dire sophistique, dans la mesure où il repose sur la confusion entre le fait d'être beau (dans la mineure) et le souci de chercher à être beau (dans la majeure). La façon dont la beauté est relative à chacun n'a donc rien à voir avec la sorte de relativité qui empêche la recherche par tous. Et si, pour éviter cette confusion, on interprète le mot *relatif* toujours dans le même sens (en lien avec le caractère variable, d'une personne à l'autre, des jugements sur la beauté), l'autre prémisse ne sera plus du tout vraie. En effet, que des gens varient dans leur appréciation de ce qui est le plus beau ne diminue en rien leur ardeur commune à rechercher la beauté.

À votre tour maintenant de répondre aux autres questions de la liste de stratégies de révision !

3. Faites la révision de la dissertation ci-dessous à l'aide des questions contenues dans la liste schématique des stratégies de révision (voir page 108).

    (Pour faciliter la révision du français, nous avons mis en caractères droits les mots comportant des fautes.)

Dissertation de l'étudiant 3

Est-il important de se trouver beau?

De nos jours, la beauté prend une très grande place dans notre société. Cela peut être constaté lorsque par exemple nous consultons un magasine *de mode. L'image projetée par les mannequins ou les vedettes est souvent un idéal de beauté pour plusieurs femmes et plusieurs hommes. Avec cette* constations, *nous pouvons nous demander si l'atteinte d'un idéal de beauté est vraiment* important *et nécessaire pour une personne. Pour répondre à cette question, dans un premier temps nous verrons que la beauté peut être vue sous deux aspects différents (la beauté physique et la beauté intérieure) et dans un deuxième temps nous approfondirons le thème de la beauté physique.*

Selon moi, la beauté est très importante pour tous individus. *Car je pense qu'un individu qui se trouve beau physiquement aura plus de chances d'avoir une image positive de lui-même et une bonne estime de soi. Une personne qui se trouve laide physiquement peut difficilement avoir une image positive d'elle-même car l'acceptation de soi ne sera pas présente et cette personne n'aimera pas qui elle est vraiment. Cette même personne ne risque pas non plus d'avoir une bonne estime d'elle-même et sera sans cesse* entrain *de se comparer aux autres personnes. La beauté physique est également très valorisée dans notre société, le fait d'être beau vient donc créer une certaine pression chez la population car nous voulons tous être le plus beau ou la plus belle. Chaque jour, nous sommes exposés à des images de belles personnes, que ce soit à la télévision ou dans les journaux. Les personnes que nous voyons sont toujours* beaux *ou belles physiquement. Cela envoie un message dans notre société qui dit que nous devons tous être beaux selon un modèle* établie *et qui est souvent inaccessible. Outre la beauté physique, la beauté intérieure joue aussi un grand rôle dans notre société. Dans le livre du Grand Hippias, cela est montré lorsque Socrate dit: «Aussi le corps, nous disons qu'il est beau s'il est capable de courir ou de lutter; de même pour les animaux, par exemple qu'un cheval est beau, un coq, une caille; ou encore les ustensiles, les attelages, les vaisseaux ou les navires de marchands; les instruments de musique ou d'art; ajoutons aussi les institutions et les lois: ces choses ou ces êtres sont beaux s'ils nous servent de* quelques *manière ou de quelque façon. Le contraire n'est pas attirant, tant que cela est inutile.» Cette citation de Socrate vient montrer qu'il ne faut pas juste être beau physiquement pour être beau. La beauté intérieure est aussi utile. Par exemple, si une personne est belle physiquement mais qu'intérieurement elle est moins belle, elle peut être* considéré *comme une personne moins attirante et contrairement à cela si une personne est laide physiquement mais qu'intérieurement elle est belle, elle peut quand même être* apprécié *des autres par sa beauté intérieure. Par contre, dans la société d'aujourd'hui la beauté intérieure est moins valorisée que la beauté physique car les apparences prennent beaucoup de place. Même si une personne est moins belle intérieurement, son apparence prendra plus de place pour les gens qu'elle rencontrera. Deuxièmement, nous pouvons parler des gens qui cherchent à être* beau, *ceux-ci soignent généralement* d'avantage leurs *apparence et* dégage *une image plus positive auprès des autres qui auront davantage envie de les côtoyer. Car ces gens auront d'abord plus confiance en eux et cela paraîtra à travers leurs attitudes et comportements. Ces personnes pourront également entrer plus facilement en contact avec les autres et leurs relations interpersonnelles seront meilleures. En effet, les personnes qui se trouvent belles et qui soignent* leurs apparences *auront plus confiance* à *aller vers les autres parce qu'*ils *auront plus confiance en leurs moyens.*

Pour conclure, nous avons pu constater que l'apparence physique vient jouer un très grand rôle dans notre société. L'idéal de beauté est donc vraiment important pour tous les individus, nous voulons être beau *et nous trouver* beau. *La beauté intérieure est aussi importante* mains *probablement moins que la beauté physique. Mis à part la recherche de la beauté physique, nous pourrions aussi nous questionner sur la trop grande place accordée à cette beauté dans notre société.*

Exemple de réponse :

Réponse aux questions sur le développement, la définition des notions clés et le respect des règles de l'argumentation :

Un développement avec arguments et éclaircissements ?

Le développement contient-il les éclaircissements et les arguments demandés ? Il y a bien deux arguments à l'appui de la thèse voulant que la beauté soit importante. Le premier se base sur la prémisse que « celui qui se trouve beau physiquement aura plus de chances d'avoir une image positive de lui-même et une bonne estime de soi ». Cette prémisse est à son tour manifestée à partir du sujet contraire, soit « la personne qui se trouve laide physiquement ». Pour expliquer davantage le lien entre la beauté physique et la bonne estime de soi, on avance l'idée qu'être beau physiquement permet de mieux correspondre au modèle socialement valorisé (à ce que la société trouve essentiel), de mieux répondre à la pression que ce modèle impose.

Le deuxième argument aborde le deuxième aspect de la beauté, soit la beauté intérieure. La beauté serait importante parce que la beauté intérieure joue aussi un grand rôle dans notre société. Elle aussi est utile, car sans elle une personne sera moins attirante et, grâce à elle, on pourra être apprécié même si, physiquement, on est laid. Assez curieusement, cette idée que la beauté intérieure jouerait un grand rôle *dans notre société* est appuyée par une citation du *Grand Hippias* de Platon.

Un développement avec objection et réfutation ?

Le texte contient-il une objection et une réfutation ? Aucune objection n'est présentée, car aucune phrase ni même une division de paragraphe n'indique clairement qu'un point de vue adverse serait rapporté. Tout ce qu'il y a, c'est une restriction (« Par contre, dans la société d'aujourd'hui, la beauté intérieure est moins valorisée que la beauté physique »), qui s'accorde d'ailleurs très mal avec les affirmations précédentes sur le grand rôle que joue la beauté intérieure dans notre société et sur la possibilité d'être apprécié par sa beauté intérieure.

Le texte contient-il une réfutation ? Non ! Pour répondre à une objection, il aurait d'abord fallu en soulever une. Au lieu de cela, la dernière partie du développement ne fait que répéter plus ou moins l'argument du début.

Des notions clés bien définies ?

Les notions clés sont-elles bien définies ? Aucunement. Aucune définition n'est proposée de la beauté en général (à part un rapprochement avec ce qui est attirant), de la beauté physique (à part dire que c'est se trouver beau physiquement et la rapprocher de l'apparence), de la beauté intérieure (à part dire que c'est être beau intérieurement) ou de la notion d'importance (à part dire « ce qui est vraiment important et nécessaire pour la personne »).

Des arguments valides ?

Les arguments présentés respectent-ils les règles de l'argumentation ? En toute rigueur, pour conclure que la beauté est importante pour tous les individus, il faut s'appuyer sur une prémisse mineure universelle : tous les individus qui se trouvent beaux ont une image positive d'eux-mêmes. Cependant, comme l'auteur l'a bien senti, ce n'est guère vraisemblable, car il est facile de constater des exceptions. Pour rester vraisemblable tout en conservant une formulation dont on puisse admettre l'universalité, l'auteur a dit : « Un individu qui se trouve beau physiquement *aura plus de chances* d'avoir une image positive de lui-même. » C'est certes habile, mais le principe général alors impliqué (« tout ce qui donne plus de chances d'avoir une image positive de soi-même est important ») énonce alors quelque chose de beaucoup moins fort que si l'on avait dit « tout ce qui donne une image positive… » Ainsi, pour conserver sa rigueur formelle, l'argument a perdu de sa portée.

On peut aussi se demander dans quelle mesure on prouve que «la beauté est très importante pour tous les individus» à partir d'une caractéristique attribuée à celui qui *se trouve* beau. En effet, comment peut-on conclure qu'il est important d'*être* beau à partir d'une prémisse qui s'appuie sur l'individu qui *se trouve* beau?

Le deuxième argument aurait été plus clairement formulé si l'on avait dit que la beauté est importante parce que la beauté intérieure est utile *pour demeurer attirant et être apprécié*. Ces précisions ont plutôt été apportées dans un exemple servant à éclaircir l'argument. Ce dernier respecte les règles de l'argumentation : à partir du principe universel «Tout ce qui est utile [pour demeurer attirant et être apprécié] est important», on conclut que la beauté (au sens de la beauté intérieure) est importante, vu qu'elle est incluse dans ce qui est utile.

Une véritable objection et une véritable réfutation ?

Rien dans ce texte n'indique clairement que son auteur a eu l'intention de présenter une objection et d'y répondre.

À votre tour maintenant de répondre aux autres questions de la liste de stratégies de révision !

Conclusion

Comme on a pu le constater, savoir produire de façon compétente une argumentation sur une question philosophique nécessite tout un apprentissage. Que de notions à assimiler, tant en ce qui concerne la structure du texte argumentatif que l'argumentation et, plus généralement, tout ce que peut nous apprendre la logique pour aider à mieux penser.

L'UTILITÉ DE LA LOGIQUE

Le jeu en valait la chandelle. Il valait la peine de s'initier ainsi à la logique, car elle constitue la méthode même de la philosophie et de l'intelligence en général. En apprenant la logique, comme on a eu l'occasion de commencer à le faire ici, non seulement on se prépare à devenir un rédacteur de texte argumentatif plus compétent, mais, encore, on apprend à penser par soi-même. L'étude de la logique ne rend pas plus intelligent, mais permet de tirer davantage profit de l'intelligence qu'on a. En appliquant ce que la logique enseigne, on devient à même de procéder avec plus d'ordre, plus de facilité et moins d'erreurs dans l'exercice de la raison. Cela ne pourra manquer de paraître dans les textes philosophiques qu'on sera appelé à rédiger, car ils porteront la trace de cette activité rationnelle bonifiée.

LE TRIPLE OBJET DE LA LOGIQUE

Certes, quand on se prépare à écrire sur un sujet, il est assez naturel de se plonger dans l'étude de ce sujet et de faire toutes sortes d'observations et de réflexions sur cette réalité en provenance du monde extérieur. Pourtant, un détour méthodologique est aussi nécessaire. Quand, comme on l'a fait, on s'interroge sur la façon de construire un texte argumentatif et qu'on se met à l'étude de la logique, on n'étudie pas des objets du monde extérieur, on tourne plutôt le regard de son esprit vers l'activité même de l'esprit et vers la manière de consigner par écrit le fruit de cette activité. Faire de la logique, c'est, en quelque sorte, se regarder en train de connaître, en train d'apprendre et en train d'exprimer, oralement ou par écrit, le résultat de ces démarches intellectuelles.

Ainsi, en faisant un retour sur l'activité rationnelle qui consiste à tâcher de saisir l'essence des choses, on constate que, pour répondre à la question « qu'est-ce que c'est ? », la raison humaine doit former une définition. Par exemple, répondre à la question « qu'est-ce que l'homme ? », c'est en donner la définition : « animal capable de raisonner ». Et c'est l'occasion de se demander comment, pour bien faire connaître l'essence d'un être ou d'une chose, une définition doit être formée et quelles parties doivent la constituer, etc. Une telle connaissance facilite le travail de clarification qui s'impose lors de la rédaction d'un texte argumentatif. Grâce à elle, on est assuré de ne pas raisonner à partir de notions confuses et mal définies.

Un autre aspect de l'activité de la raison, c'est de chercher à juger de la vérité. En se retournant sur elle-même en train de se livrer à cette activité, la raison peut constater que pour être en mesure de juger de la vérité ou de la fausseté, il faut absolument énoncer, affirmativement ou négativement, quelque chose : ceci est cela, ceci n'est pas cela. Et c'est l'occasion de se demander comment une énonciation doit être formée, pour exprimer clairement ce qu'on juge être vrai, ce qui revient à se demander de quelles parties elle se compose obligatoirement, quelles en sont les sortes possibles et comment des énonciations peuvent s'opposer entre elles. Mieux on comprend tout cela, mieux on sait, dans son texte argumentatif et dans l'expression des idées en général, formuler nettement sa thèse, en évaluer la portée et éviter les faux dilemmes.

Enfin, par réflexion sur son activité de raisonner, la raison constate qu'elle produit, en exerçant cette activité, quelque chose qui s'appelle un raisonnement. En réfléchissant sur la façon dont elle raisonne, la raison peut découvrir de quelles parties se compose un raisonnement, quelles en sont les espèces possibles et quelles sont les règles à suivre pour bien raisonner. En possession de telles connaissances, on sait mieux juger de la qualité argumentative des textes qu'on produit.

LA DÉCOUVERTE DE LA LOGIQUE

Il en va ainsi pour toutes les activités de la raison. Pour en découvrir les règles, il faut se regarder en train d'apprendre, s'observer en train de progresser vers de nouvelles connaissances.

Par un tel retour sur les démarches d'acquisition de connaissances, on peut prendre conscience de la façon de procéder pour connaître. C'est dire que, même si la logique ne porte pas sur la réalité extérieure elle-même, elle aide à la connaître, en fournissant une bonne méthode pour y arriver. En philosophie, l'apprentissage de la logique joue un rôle instrumental : la logique développe la conscience réflexive des instruments à utiliser pour bien connaître la réalité. Elle habitue à une métacognition – c'est-à-dire à une connaissance portant sur ses propres processus mentaux – éminemment formatrice pour l'esprit.

On pourrait comparer la découverte de la logique à la découverte des règles dans un art manuel, la menuiserie, par exemple. C'est en faisant un retour sur les gestes de la main (prolongée au besoin par tel ou tel outil, comme une scie, un marteau) qu'on a découvert les règles de l'art de construire. On regarde ce qu'on a fait avec ses mains et l'on compare avec le résultat obtenu : les façons de faire qui ont donné lieu à des constructions solides obtenues avec efficacité, on les conserve ; celles qui ont donné de mauvais résultats, on les élimine ou on les corrige. C'est la même chose en logique, sauf qu'au lieu de gestes de la main qui construit il s'agit d'actes de la raison qui s'efforce de connaître la vérité (d'ailleurs le mot logique dérive du grec *logos*, raison) et qu'au lieu d'instruments matériels qu'il s'agit d'apprendre à manier, on a affaire à des instruments intellectuels qu'il faut apprendre à bien utiliser dans toutes ses démarches d'acquisition de connaissances.

MIEUX PENSER, POUR MIEUX ÉCRIRE

La logique étudie ces actes de la raison, ou plutôt elle considère ce qui est produit par la raison dans son propre acte : des définitions, des énonciations, des raisonnements. Grâce à la connaissance des règles qui régissent ces instruments de la pensée, on est capable de mieux les utiliser et ainsi de mieux penser : on saura mieux définir, énoncer plus clairement ses idées, mieux raisonner, mieux démontrer ses conclusions.

C'est pour favoriser les premiers pas vers l'atteinte de ces objectifs que cet ouvrage a été écrit. À chacun, maintenant, de mettre en pratique ce qu'il a appris, en utilisant ses connaissances logiques dans l'écriture du texte argumentatif qu'il doit produire pour son cours de philosophie (ou dans tout autre contexte). Nul doute que la qualité de ses productions s'en trouvera rehaussée.

QUESTIONS

1. Qu'est-ce que la logique ?
2. Quels avantages y a-t-il à connaître et à appliquer ce que la logique enseigne ?
3. Sur quoi, de façon générale, porte la logique ?
4. Quels sont les trois principaux actes de la raison ?

Vrai ou faux ?

1. Il n'y a pas vraiment de méthode à suivre en philosophie.
2. Pour bien connaître un sujet, il suffit de se plonger dans l'étude de ce sujet.
3. La définition, l'énonciation et le raisonnement peuvent être considérés comme des instruments dont se sert l'intelligence pour connaître.
4. La pensée est une activité tout à fait spontanée et personnelle, de sorte qu'il n'y a pas, pour elle, de règles ; on ne peut pas apprendre à mieux penser.

MARQUIS

Québec, Canada

RECYCLÉ
Papier fait à partir
de matériaux recyclés
FSC® C103567

Imprimé sur du papier Enviro 100% postconsommation
traité sans chlore, accrédité ÉcoLogo et fait à partir de biogaz.